REMERCIEMENTS

JEAN DUTOURD, DE L'ACADÉMIE FRANÇAISE,
JEAN TULARD, DE L'INSTITUT,
MICHEL FLEURY, ANCIEN PRÉSIDENT DE L'ECOLE PRATIQUE DES HAUTES ETUDES,
ET VICE-PRÉSIDENT DE LA COMMISSION DU VIEUX PARIS,
GUY-MICHEL LEPROUX, VICE-PRÉSIDENT DE LA COMMISSION DU VIEUX PARIS.

MARIE-CHRISTINE AVRIL, BRIGITTE LEVEL ET MARCELLA MALTAIS,
DANIEL ANCELET, JOSEPH BENHAMOU, GEORGES CLÉMENT, GÉRARD COURANT,
CLAUDE DUBOIS, FRÉDÉRIC DUTOURD, DOMINIQUE GAULTIER,
JEAN-CYRILLE GODEFROY, PATRICK GOFMAN,
DANIEL HABREKORN, PHILIPPE PASTORINO,
BERNARD PEYROTTE ET PASCAL SEVRAN.

Couverture :
Place du Tertre
Dos :
La fontaine Médicis au Luxembourg
Gardes :
Avenue du Bois, au début du XXᵉ siècle
Page 11 :
Marchands d'aiguilles devant Saint-Eustache

Tous droits réservés
© MOLIÈRE, Paris
ISBN : 2.907.670.48.4
Pour la présente édition :
ISBN : MLP 2.7434.1670.X
Dépôt légal : 3ᵉ trimestre 2000
Imprimé en France

Crédit photographique :

Pierre Boussier : *12/13, 14/15, 16/17, 20/21, 23, 26/27, 31, 32/33, 37, 42/43, 47, 49, 52/53, 57, 61, 64/65, 68/69, 72/73, 76/77, 91, 92/93, 94/95, 97, 110/111, 116/117, 118/119, 136.*
Roger-Viollet : *2/3, 11, 18/19, 24/25, 29, 34/35, 40/41, 44/45, 50/51, 54/55, 58/59, 62/63, 66/67, 70/71, 74/75, 78, 79, 82, 83, 84/85, 86/87, 88/89, 98/99, 100/101, 102/103, 105, 106/107, 108/109, 112/113, 114/115, 120, 129.*
Pix/Messerschmidt : *1.*
D.R. : *39, 81, 121 à 128.*
Texte : *Alain Paucard*
Collaboration : *F. B. S. B.*

PARIS

Ses rues, ses chansons, ses poèmes.

Alain Paucard

PARIS

Ses rues, ses chansons, ses poèmes.

Préface

Jean Dutourd

PAUCARD DE PARIS

Alain Paucard, lorsqu'il se présente à quelqu'un, dit toujours "Paucard de Paris". Je trouve que cette formule est le comble du chic. Très supérieure, selon moi, à Dupont de Nemours et à Merlin de Douai. Le génie de Dupont a consisté à émigrer en Amérique et à y faire fortune comme n'importe quel bourgeois. Quant à Merlin, il a voté la mort du roi en 1793 et celle de Robespierre l'année suivante.

Paucard n'a rien à voir avec la ploutocratie, le nouveau monde ou l'assassinat politique. C'est un écrivain, un artiste. En tant que tel, il est profondément enraciné dans sa terre natale qui est Paris, capitale de la France. Ce Paris-là, jusque vers 1970, par sa beauté, sa gentillesse populaire, ses mystères et même ses vieilleries, rendait avec usure l'amour qu'on lui portait. Après quoi, les gens de goût et les architectes se sont abattus sur lui, hélas ! et n'ont pas cessé de le défigurer avec des monuments aussi saugrenus que laids et de l'écraser par d'innombrables tours en béton ou en verre. Et l'amour de Paucard pour sa chère patrie, qui était heureux, est devenu un amour tragique, ou encore barrésien : Paucard est un déraciné comme le sont aujourd'hui les Français. Sa devise pourrait se trouver dans la vieille chanson si déchirante : "Ah ! qu'il était beau mon village, mon Paris, notre Paris". Elle est aussi dans Baudelaire. C'est bien de Paris que celui-ci parle en évoquant : "les plis sinueux des vieilles capitales où tout, même l'horreur, mène à l'enchantement".

Paucard, en égrenant nostalgiquement les rengaines d'autrefois et de naguère, se bat comme un lion pour conserver leurs plis sinueux aux vieilles capitales, à commencer évidemment par la nôtre. Les plis sinueux sont incompatibles avec le mondialisme et l'américanisation. Tant que la France aura des enfants comme Alain Paucard qui se battent pour le passé et non, comme les imbéciles, pour l'avenir, elle ne sera pas vieille (ou morte).

Jean DUTOURD
de l'Académie française

SOMMAIRE

La Seine et ses ponts

La Seine a fait Paris et Paris a fait les ponts, que ce soit le pont des Arts (*"Si par hasard/ Sur l'Pont des Arts/ Tu crois's le vent/ Le vent fripon"* chante **Georges Brassens**) ou le Pont-Neuf (*"Sur le Pont-Neuf, j'ai rencontré/ Ce pauvre petit mon pareil/ Il m'a sur la Seine montré/ Au loin des taches de soleil"* dit **Aragon**).

Le décor est bien planté : *"Et la nuit de septembre s'achevait lentement/ Les feux rouges des ponts s'éteignaient dans la Seine/ Les étoiles mouraient le jour naissait à peine"* (**Guillaume Apollinaire**) ; *"Quais de la Seine où tout devient poème/ Le chien errant l'oiseau secret la fleur/ Ces deux amants murés dans leur bonheur/ Et la mélancolie de ma vie même"* (**Marcel Béalu**) ; *"Je passais au bord de la Seine/ Un livre ancien sous le bras/ Le fleuve est pareil à ma peine/ Il s'écoule et ne tarit pas/ Quand donc finira la semaine"* (**Apollinaire**) ; *"Tout dort, le fleuve antique entre ses quais de pierre/ Semble immobile. Au loin s'espacent des beffrois./ Et sur la cité, monstre aux écailles de toits,/ Le silence descend, doux comme une paupière"* (**Albert Samain**).

Après avoir célébré la Seine : *"A n'importe quelle heure/ Elle a ses visiteurs/ Qui la r'gardent dans les yeux/ Ce sont ses amoureux/ A la Seine"*, après avoir adressé un cordial bonjour à *"Ceux qui ont fait leur lit/ Près du lit de la Seine/ Et qui s'lavent à midi/ Tous les jours de la semaine/ Dans la Seine"*, le chantre du Paris populaire, **Francis Lemarque**, remonte le temps sur la Seine : *"Ah si Monsieur de La Fontaine/ Avait vu flotter sur la Seine/ Les bateaux-mouches qui se promènent/ Entre Charenton et Suresnes/ Il eût inventé quelques fables/ Pour célébrer leur élégance/ Et en quelques phrases aimables/ Loué leur vertu leur prestance/ Qui auraient enchanté les ondes"*. Au contraire d'un **Francis Carco**, qui, sous le coup d'un dépit, ose écrire : *"De Paris où je vous écris,/ Mon cher Christian Derème,/ Combien me dégoûte la Seine/ Par ce temps de gel assombri !"*, **Albert Mérat** conclut : *"Cette eau porte à la ville un souvenir des champs"*. Marcher le long du fleuve, entre ces *"monuments (qui) sont les bornes kilométriques de ma fatigue"* (**Philippe Soupault**), reste un des plus beaux passe-temps parisiens. Et, comme disait la chanson de **Ray Ventura** : *"Ça vaut mieux que d'être le zouave du pont d'l'Alma"*…

Les trente-deux ponts de Paris

La Seine prend sa source sur le plateau de Langres, à 471 mètres d'altitude. Les Parisiens, quand ils la voient arriver chez eux, n'ont de cesse de la franchir, à pied ou en voiture. Du pont National (XIIIe arrondissement) au pont du Garigliano (XVe), on compte trente-deux ponts et passerelles, dont le plus récent, le pont Charles-de-Gaulle, qui relie la gare d'Austerlitz à la gare de Lyon. Une remarquable réussite architecturale récente est l'œuvre de Christian Langlois pour le pont de Bercy qu'il fut chargé d'élargir. Langlois a construit à l'identique de l'original – conservé – la partie à doubler et dans les mêmes proportions, ce qui garde au pont toute son unité esthétique.

Sous le pont des Arts coule la Seine

Des générations ont chanté *Sous les ponts de Paris*, un texte écrit par **Rodor** en 1913, mis en musique par **Vincent Scotto** et interprété par **Georgel** : *"Pour aller à Suresnes/ Ou bien à Charenton/ Tout le long de la Seine/ On passe sous les ponts"* et, au refrain : *"Sous les ponts de Paris/ Lorsque descend la nuit/ Tout's sort's de gueux se faufil'nt en cachette/ Et sont heureux de trouver un' couchette/ Hôtel du courant d'air/ Où l'on ne paye pas cher/ L'parfum et l'eau c'est pour rien mon marquis/ Sous les ponts de Paris"*.

"Traçons le vrai portrait de Paris" écrit **Alexandre Vialatte**, *"au nord le mont Martre; au sud le mont Parnasse; entre les deux la Seine et, sur la Seine, la piscine Deligny"*. Il y en eut même une autre, celle du Pont-Royal, en face de Deligny, et les passagers des bateaux-mouches avaient le temps de voir **Gabriel Matzneff** séduire des belles… **Albert Mérat** écrit : *"Les Mouches* (les bateaux-mouches), *en sifflant, n'avaient pas pris l'essor,/ Et les noirs remorqueurs ne fumaient pas encore./ Seulement, au courant de la rivière vide,/ Un chaland que gouverne un marinier solide,/ Et qu'on pousse du lourd aviron à deux mains;/ Un train de bois flottant au gré des verts chemins,/ Ou rien que le soleil sur l'eau lente et tranquille./ C'était l'heure où le bruit s'éveille par la Ville,/ Où grince sur le port la pelle de charbon,/ Où des hommes hâlés, quand le soleil est bon,/ N'ont que le pantalon de toile et la chemise./ On lisait : Arion, Tibre, Seine-et-Tamise/ Aux poupes des bateaux, sur le bordage clair;/ Et l'eau coulait limpide et fraîche comme l'air"*.

François Coppée n'est pas en reste : *"Je pris le bateau-mouche au bas du Pont-Royal/ Et sur un banc, devant le public trivial,/ – Ô naïve impudeur! ô candide indécence! –/ Je vis un ouvrier avec sa connaissance/ Qui se tenaient les mains, malgré les curieux,/ Et qui se regardaient longuement dans les yeux./ Ils restèrent ainsi tout le long de la Seine,/ Sans faire attention au petit rire obscène/ Des gens qui se poussaient du coude, l'air moqueur;/ – Et je les enviais dans le fond de mon cœur"*. Mais… *"Et voilà le soleil/ Qui fait chanter les toits! Les terrasses dorées,/ Les cheminées vermeilles,/ En remparts crénelés,/ Cisèlent un drapé/ Dans la brume de soie/ Qui dévoile au réveil,/ La Seine ensommeillée"* (**Georges Clément**).

Le pont des Arts

Le pont des Arts a été construit en un an (1802-1803), sous la direction de l'ingénieur Demoutier. Sa largeur est de 10 mètres et sa longueur de 157,50 mètres. Il est réservé aux piétons. Son nom lui vient du Louvre qui portait alors le titre de Palais des Arts. Le décret du 24 ventôse, an IX, "au nom de Bonaparte", ordonne qu'il sera établi à Paris trois ponts à péage, celui des Arts, le futur pont d'Austerlitz et celui de la Cité. La construction fut confiée à une société anonyme qui garda la concession du péage jusqu'en 1897. Le pont des Arts a été remplacé en 1981 par un autre pont, moins gênant pour la circulation fluviale, sur le même dessin, mais avec sept arches au lieu des neuf originelles.

Pont-Neuf

Le monument de Paris le plus longtemps chanté, même si la mode en est passée, ce fut le grand magasin de la Samaritaine. Les publicitaires mirent des paroles à sa gloire sur une chanson à succès et le tour fut joué. Heureusement, le Pont-Neuf n'est pas né de la dernière crue, quoiqu'il prétende et lui aussi, à sa manière, chante. *La Seine* (1948) le rappelle : *"Elle traîne d'île en île/ Caressant le vieux Paris/ Elle ouvre ses bras dociles/ Au sourire du roi Henri"*, statue qui ponctue le pont en son juste milieu. *"Indifférente aux édiles/ De la Mairie de Paris/ Elle court vers les idylles/ Des amants des Tuileries"*. Les Tuileries où l'on peut *"Revoir/ Les grandes femmes de Maillol/ Bronzées comme la nuit/ Qui dès que l'obscurité rend les Tuileries désertes/ Se mettent silencieusement à jouer/ Et à lutter entre elles/ Sur les pelouses jusqu'à l'aube…"* (**Louis Brauquier**).

Devant le spectacle de la Seine et de ses quais, **Verlaine** se montre sévère : *"Roule, roule ton flot indolent, morne Seine. –/ Sous tes ponts qu'environne une vapeur malsaine/ Bien des corps ont passé, morts, horribles, pourris,/ Dont les âmes avaient pour meurtrier Paris./ Mais tu n'en traînes pas, en tes ondes glacées,/ Autant que ton aspect m'inspire de pensées ! / […] – Toi, Seine, tu n'as rien. Deux quais, et voilà tout,/ Deux quais crasseux, semés de l'un à l'autre bout/ D'affreux bouquins moisis et d'une foule insigne/ Qui fait dans l'eau des ronds et qui pêche à la ligne./ Oui, mais quand vient le soir, raréfiant enfin/ Les passants alourdis de sommeil ou de faim,/ Et que le couchant met au ciel des taches rouges,/ Qu'il fait bon aux rêveurs descendre de leurs bouges/ Et, s'accoudant au pont de la Cité, devant/ Notre-Dame, songer, cœur et cheveux au vent !"*

Revenons au Pont-Neuf, guère loin de l'endroit où *"… rougeoyaient face à face la tour de Nesle, d'où le guet sortait, l'escopette sur l'épaule, et la tour du Louvre d'où, par une fenêtre, le roi et la reine voyaient tout sans être vus"* (**Aloysius Bertrand**). Derrière le pont, la place Dauphine, *"un des lieux les plus profondément retirés que je connaisse, un des pires terrains vagues qui soient à Paris"* (**André Breton**); *"la flèche aiguë et dentelée de la Sainte-Chapelle, les tours de Notre-Dame, le parvis de Saint-Julien-le-Pauvre, par ce matin d'hiver, m'apparurent comme une lumière* bleuâtre et quoique ne jouissant, de ce côté de l'eau, d'aucune sorte de crédit, je fus rasséréné" (**Francis Carco**). Plus drôle : au 13, place du Pont-Neuf, la taverne Henri IV où, d'après **Robert Giraud**, le patron décroche le téléphone en répondant : *"Ici Henri IV"*. **Gaston Paris** rédigea une ode à ce bistrot, ce qui donne : *"Pour vous, fins buveurs, mes amis,/ Notez l'adresse que voici :/ A l'enseigne du roi Henri/ Au plus chaud du cœur de Paris/ Dans le quartier des Tuileries,/*

Le Pont-Neuf

Le samedi 31 mai 1578, Henri III posa solennellement la première pierre du Pont-Neuf, après avoir assisté à l'enterrement de deux mignons. En 1603, Henri IV voulut le traverser alors qu'il n'était pas terminé. A son achèvement, en 1607, toutes les classes de la société s'y donnèrent rendez-vous et il devint la promenade la plus variée de Paris. "C'était, nous disent Félix et Louis Lazare, un pêle-mêle bigarré, remuant, grouillant, parlant, criant, hurlant, un brouhaha souvent compliqué de batailles à coups de poing, de duels à coups d'épée". L'ambiance a beaucoup changé.

Notre-Dame l'Académie/ Un petit bistrot, c'est ici/ Ce grand garçon qui vous sourit [...]/ Vous fera goûter son Fleurie/ Et son Sancerre et son Givry/ Son Alsace et son Quincy/ Vous ne trouverez pas ici/ Du Bordeaux de Californie/ Eau minérale et jus de fruits/ Mais le raisin qui a mûri/ Au joyeux soleil du Midi". La contemplation persistante de l'eau qui coule amène naturellement à s'intéresser au vin. *"Le vin est, selon beaucoup d'auteurs, le meilleur ami de l'homme lorsqu'on* en use avec modération, et son plus grand ennemi si on le prend avec excès. C'est le compagnon de notre vie, le consolateur de nos chagrins, l'ornement de notre prospérité, la principale source de nos vraies sensations. Il est le lait des vieillards, le baume des adultes et le véhicule des gourmands. Le meilleur repas sans vin est comme un bal sans orchestre, comme un comédien sans rouge ou comme un apothicaire sans quinquina" (**Grimod de la Reynière**).

La Seine au travail

"Paris, premier port fluvial français" claironnaient les instituteurs quand nous pensions que c'était Rouen. Les quais ne sont pas seulement voués aux livres anciens mais aux tas de sable et aux grues. Cet *"hôtel du courant d'air"*, comme il est dit dans la chanson *Sous les ponts de Paris*, loge aussi les clochards et de solides travailleurs et a sans doute abrité bien des amoureux – et pas que des chastes – avant que les voies sur berges ne défigurent et ne dénaturent les quais de Paris. Et les nombreux restaurants amarrés ne compensent pas – pas complètement – la disparition des mariniers. Quant à ceux qui louent leur place à l'année et en vertu d'un droit d'ancienneté, ils doivent parfois attendre des années en prenant la file d'attente à Bougival ou à Chatou, là où canotait **Guy de Maupassant**. *"Rarement un sport, le canotage, aura été aussi lié aux jeux de l'amour. Contraction des muscles, régularité du mouvement d'avant en arrière, hommes et femmes, yeux dans les yeux, au milieu de l'élément liquide"* écrit **Olivier Frébourg**, qui dit aussi : *"La Seine, grand boulevard inconscient de Paris, miroir de ses rêves, de ses fantasmes. Les hommes, les femmes, l'amour s'y libèrent. Elle aiguise l'érotisme"*.

C'est bien vu. La Seine est femme, la Seine est matricielle et **Maupassant**, toujours lui, peut écrire le 2 juillet 1885, sur le mur d'un restaurant de Chatou : *"Ami, prends garde au chien qui mord/ Ami prends garde au chien qui se noie/ Sois prudent, reste sur le bord"*, ce qui peut être, aussi, un conseil de prudence vis-à-vis de l'amour, de tous les dangers de l'amour.

La Seine a ses quais : *"J'adore les quais de la Seine [...] Par là, dans le soir se promène/ L'ombre de Verlaine [...] Des violons qu'il a fait naître/ Et qui font connaître/ L'automne au passant"* (**Jean Dréjac**).

Elle a ses écluses, mais en aval et en amont : *"Les mariniers me voient vieillir/ Je vois vieillir les mariniers [...] Dans mon métier, même en été/ Faut voyager les yeux fermés/ Ce n'est pas rien d'être éclusier"* (**Jacques Brel**). Elle a la nostalgie de ceux qui, libérés, reviennent vers elle : *"Suivrai-je ces lourds chalands par les pins et le sable/ Sur les rivières à pas lents/ Prisonnier à travers la profonde Allemagne/ Evadé/ Que mon pays est loin quand je remonte sur la lenteur de l'Elbe"* (**André Frénaud**).

Le Chaland qui passe

Le Chaland qui passe, *titre d'une des plus célèbres chansons populaires, symbolise parfaitement la lenteur des coches d'eau, lesquels emmenaient aussi – on a tendance à l'oublier – des voyageurs. C'est par voie d'eau, entre Auxerre et Paris, que Restif de La Bretonne se rend dans la capitale. L'Atalante,* classique du cinéma français dû à Jean Vigo, s'intitule d'abord Le Chaland qui passe. Jean Tulard y voit un *"chef-d'œuvre poétique",* mais aussi *"un pamphlet subversif". Il n'empêche que la jeune femme du marinier, lassée de sa vie monotone et qui fugue, revient vers son mari à la fin.*

18

L'île Saint-Louis

"L'île Saint-Louis en ayant marre/ D'être à côté de la Cité/ Un jour a rompu ses amarres/ Elle avait soif de liberté/ [...] On la vit descendre la Seine", écrit et chante **Léo Ferré** en 1952. La vision est fantastique, originale, sympathique, mais correspond-elle à l'impression de sérénité, d'éternité, que procure l'île quand on y accède par le pont de la Tournelle ?

"Paris dort : avez-vous, nocturne sentinelle/ Gravi, minuit sonnant, le pont de la Tournelle,/ C'est de là que l'on voit Paris de fange imbu;/ Et comme un mendiant ivre près d'une cuve/ Le géant Est qui ronfle et qui râle, et qui cuve/ Le vin ou le sang qu'il a bu" (**Alphonse Esquiros**).

"En passant sur le pont de la Tournelle, un soir,/ Je me suis arrêté quelques instants pour voir/ Le soleil se coucher derrière Notre-Dame./ Un nuage splendide à l'horizon de flamme,/ Tel qu'un oiseau géant qui va prendre l'essor,/ D'un bout du ciel à l'autre ouvrait ses ailes d'or ;/ – Et c'étaient des clartés à baisser la paupière./ Les tours au front orné de dentelles de pierre,/ Le drapeau que le vent fouette, les minarets/ Qui s'élèvent pareils aux sapins des forêts,/ Les pignons tailladés que surmontent des anges/ Aux corps roides et longs, aux figures étranges,/ D'un fond clair ressortaient en noir; l'Archevêché,/ Comme au pied de sa mère un jeune enfant couché,/ Se dessinait au pied de l'église, dont l'ombre/ S'allongeait à l'entour mystérieuse et sombre" (**Théophile Gautier**). *"Connaissez-vous l'île/ Au cœur de la ville/ Où tout est tranquille/ Eternellement/ [...] La Seine profonde/ Dans ses bras de blonde/ Au milieu du monde/ L'enserre en rêvant"* (**Aragon** dans *Quai de Béthune*).

Et **Milosz**, Lituanien converti par amour de Paris, célèbre tout naturellement l'église : *"Les feuilles mortes tombent dans l'air dormant./ Vois, mon cœur, ce que l'automne a fait à ta chère île :/ Comme elle est pâle !/ Quelle orpheline au cœur tranquille !/ Les cloches sonnent, sonnent à Saint-Louis-en-l'Isle/ Pour le fuchsia mort de la patronne du chaland"*.

Francis Lemarque, autre enfant de Lituanie, est plus dubitatif : *"On ne saura jamais/ Si c'est en plein jour ou si c'est la nuit/ Que naquit/ Dans l'île Saint-Louis/ L'ange ou bien le démon/ Qui n'a pas de nom/ Et que l'on appell' aujourd'hui/ L'air de Paris"*.

Quai d'Orléans

Alors que des îles ont été réunies pour former celle de la Cité, l'île Saint-Louis fut un moment coupée en deux, à hauteur de l'actuelle rue Poulletier, afin que le canal ainsi créé renforçât l'enceinte de Charles V (vers 1360). Plus tard, l'île Notre-Dame – nom qu'elle gardera jusqu'au début du XVIIIe siècle – sera lotie de beaux hôtels dus à François Le Vau. L'idée venait d'Henri IV, mais ce furent Louis XIII et Marie de Médicis qui terminèrent le projet. Le quai d'Orléans fut construit de 1614 à 1646 et porta jusqu'en 1792 le nom d'Orléans ; à cette époque, on lui donna celui d'Egalité. En 1806, on lui rendit sa première dénomination.

Notre-Dame de Paris en ses quais

"La marche dans Paris, cette longue rue qui descend vers Notre-Dame" écrit **Paul Claudel**, tant il est vrai que tout nous ramène, tout nous fait revenir vers le centre, vers le cœur, vers l'île de la Cité, vers Notre-Dame, foyer matriciel.

Ils l'aiment tous, ils la défendent tous, même **Aragon** : "Qui n'a pas vu le jour se lever sur la Seine/ Ignore ce que c'est que ce déchirement/ Quand prise sur le fait la nuit qui se dément/ Se défend se défait les yeux rouges obscène/ Et Notre-Dame sort des eaux comme un aimant".

On ne peut se contenter de s'exclamer, comme **Victor Hugo** : "Notre-Dame, que c'est beau !" (il est vrai qu'il a fait bien plus...), il faut l'encercler, la belle, se lover tout contre elle, l'investir par les rues et les ruelles, comme **Maurice Fombeure** : "Au coin de la rue des Ursins/ Et de la rue de la Colombe/ Le vieux Paris qui se souvient/ Sur la Seine ouvre ses yeux bleus" (il y eut un cabaret, autrefois, La Colombe, où débuta notamment **Guy Béart**). Ou bien **Marcel Béalu** : "Quais de la Seine où me tente la mort/ J'erre comme un fantôme sur vos bords", tandis que "Notre-Dame pour un nouveau printemps/ A fait son plein de pigeons et d'enfants" (Id.). Ou encore **Albert Samain** : "Les palais et les tours sur le ciel étoilé/ Découpent des profils de rêve. Notre-Dame/ Se reflète, géante, au miroir de mon âme./ Et la Sainte-Chapelle a l'air de s'envoler !..."

Gérard de Nerval en fait tout un roman d'anticipation : "Notre-Dame est bien vieille : on la verra peut-être/ Enterrer cependant Paris qu'elle a vu naître./ Mais dans quelque mille ans, le Temps fera broncher/ Comme un loup fait un bœuf, cette carcasse lourde,/ Tordra ses nerfs de fer, et puis, d'une dent sourde/ Rongera tristement ses vieux os de rocher./ Bien des hommes de tous les pays de la terre/ Viendront pour contempler cette ruine austère,/ Rêveurs et relisant le livre de Victor.../ Alors ils croiront voir la vieille basilique,/ Toute ainsi qu'elle était, puissante et magnifique,/ Se lever devant eux comme l'ombre d'un mort !"

Bien calée sur son île, Notre-Dame semble distribuer le jeu des monuments et des places du quartier. "Regardons, en suivant la Seine/ et ses ponts déjà célébrés", nous conseille **Pierre Mac Orlan**, les jeunes femmes qui viennent au Palais de Justice "chercher franchise pour leurs fesses". Il évoque les dames de petite vertu qui jadis, deux fois par semaine, se rendaient chez des médecins qui les autorisaient à poursuivre leur occupation.

Plus loin, **Albert Mérat** nous révèle : "J'ai quelquefois songé qu'en été rien n'égale/ La fraîcheur du matin ni l'odeur fluviale ;/ Et ce n'est pas pour être épars autour de nous/ Que l'effluve en serait sans mérite ou moins doux./ Certes on peut aimer mieux l'odeur des mers superbes :/ Mais, pour avoir mouillé les plantes et les herbes,/ Les fleurs des nénuphars mêlés aux joncs penchants,/ Cette eau porte à la ville un souvenir des champs".

"Nous touchons en effet le quai aux fleurs à l'heure de l'arrivage massif des pots de terre roses, sur la base uniforme desquels se prémédite et se concentre la volonté de séduction active de demain" (**André Breton**). **Mérat**, qui célébra le Marché aux fleurs, rapporte que "Les Parisiens entendus/ Aux riens charmants plus qu'au bien-être,/ Se font des jardins suspendus/ D'un simple rebord de fenêtre/ On peut voir en toute saison/ Des fils de fer formant treillage/ Faire une fête à la maison/ De quelques bribes de feuillage". De même "Les autres quartiers de Paris/ Ont des fleurs comme les banlieues :/ C'est que le ciel est souvent gris/ Et qu'elles sont rouges et bleues". Et pendant que **Trenet** chante, "Quand Paris s'éveille au mois d'avril/ Quand le soleil revient d'exil", **Mérat** poursuit, "Pour faire tous les cœurs contents/ Avril revient. C'est le printemps/ Qui pleure, qui rit et barbote,/ Et qui, chargé de falbalas,/ Nous offre ses premiers lilas :/ Fleurissez-vous ! Deux sous la botte !/ [...] Que le pavé soit sec ou gras,/ Jonchant les charrettes à bras,/ Déjà souffrantes et pâlies,/ Elles embaument, voulant bien/ Ne rien coûter ou presque rien/ Bien que nous les trouvions jolies".

Sur le quai, on cherche vainement la librairie du père Grimaud, interprété par **André Lefaur** dans *Les Petites du quai aux fleurs*, un film écrit par **Jean Aurenche** et **Marcel Achard**. Et pendant ce temps, les Quasimodo de cinéma, **Lon Chaney** (1923), **Charles Laughton** (1939) et **Anthony Quinn** (1956), appuyés sur des gargouilles, nous observent...

Notre-Dame de Paris

Sans doute le monument le plus représentatif de Paris, dont la devise de la capitale, "Fluctuat nec mergitur", semble être la légende. Victor Hugo, qui s'en est fait le chantre incontesté – et incontestable – écrivait cependant en 1831 : "Sans doute, c'est encore aujourd'hui un majestueux et sublime édifice que l'église. Mais si belle qu'elle se soit conservée en vieillissant, il est difficile de ne pas soupirer, de ne pas s'indigner devant les dégradations, les mutilations sans nombre que le temps et les hommes ont fait subir au monument, sans respect pour Charlemagne qui en a posé la première pierre, pour Philippe Auguste qui en avait posé la dernière". Il est vrai que, depuis sa construction, la cathédrale a été constamment réparée, mais aussi transformée, y compris au XIXe siècle par Viollet-le-Duc qui lui a donné son aspect actuel.

Sur les quais du vieux Paris

Presque rien n'a changé depuis la photo prise en 1934. Sauf les quais, transformés en "axes rouges". **Léon-Paul Fargue** en serait marri, lui qui écrivait : *"Chef-d'œuvre poétique de Paris, les quais ont enchanté la plupart des poètes, touristes, photographes et flâneurs du monde. C'est un pays unique, tout en longueur, sorte de ruban courbe, de presqu'île imaginaire qui semble être sortie de l'imagination d'un être ravissant [...] Rien n'est plus de Paris qu'un quai de Seine, rien n'est plus à sa place dans son décor".*

Léon Daudet approuve : *"Les quais de la rive gauche sont une merveilleuse promenade à pied, à partir d'un milieu d'avril, au coucher du soleil, en allant par exemple du pont de Sully* (amorce du boulevard Saint-Germain) *au pont d'Auteuil. Le spectacle en est à la fois beau et charmant, historique et pittoresque avec les boîtes des bouquinistes à droite, les librairies d'occasion à gauche".*

Les bouquinistes, nous dit **Fargue**, *"Je* (les) *tiens pour les êtres les plus délicieux que l'on puisse rencontrer, et, sans doute, participent-ils avec élégance et discrétion à ce renom d'intelligence dont peut se glorifier Paris".*

Léon Daudet y voit plutôt un exercice : *"Du temps que j'avais des loisirs [...] je bouquinais volontiers dans ces boîtes de livres et d'estampes qui ont heureusement survécu aux transformations de Paris. Il en est de la recherche des volumes rares et précieux comme de la pêche à la ligne. Certaines gens prennent, en deux heures, douze poissons là où d'autres, dont je suis, n'en prennent pas un en trois heures d'affilée".*

La chanson populaire ne pouvait que se pencher sur les bouquinistes afin que **Lucienne Delyle** chantât : *"Sur les quais du vieux Paris/ Le long de la Seine/ Le bonheur sourit./ Sur les quais du vieux Paris/ L'amour se promène/ En cherchant un nid./ Vieux bouquinistes/ Belles fleuristes/ Comme on vous aime./ Vivants poèmes".* Et aussi **Charles Aznavour** : *"J'aime Paris au mois de mai/ Avec ses bouquinistes/ Et ses aquarellistes".* Et, enfin, **Francis Lemarque** : *"J'ai trouvé sur les quais en flânant/ Un vieux livre jauni par le temps/ J'y ai lu les souffrances et les joies/ Que tu as connues tout' à la fois/ Depuis le temps que tu vis".* Il parle, cela va de soi, de Paname.

Les bouquinistes

C'est en 1578 que le bailli de Paris accepte la présence de marchands ambulants : "Deux au bout du pont Saint-Michel, deux devant la barrière des sergents, encore deux devant l'horloge du Palais et deux au marché Pallu, vis-à-vis de Notre-Dame". *En 1620, Louis XIII double leur nombre, excepté pour les jours fériés et les dimanches. Le mot "bouquiniste" apparaît en 1723 – bouquin : vieux livre dont on fait peu de cas (Littré) – et c'est sous l'Empire que les bouquinistes deviennent sédentaires entre le quai Voltaire et le pont Saint-Michel. En 1859, ils sont cinquante-cinq sur la rive gauche et treize sur la rive droite ; en 1865, soixante-quinze ; en 1900, deux cents, utilisant les fameuses boîtes doublées de zinc qui deviennent vertes en 1952. On n'hérite pas d'une charge de bouquiniste. A la cessation d'activité, l'emplacement est rendu à la mairie. Depuis 1952, il existe un Prix des bouquinistes, purement honorifique, mais recherché, récompensant un livre – et un auteur – ayant Paris au cœur.*

Sous la Coupole

En 1763, **Voltaire** écrit à **Damilaville** : *"Il faut tout tenter, à la première occasion, pour mettre M. Diderot de l'Académie : c'est toujours une espèce de rempart contre les fanatiques et les fripons"*. L'Académie française, contrairement à ce que prétendent les mauvaises langues, n'est pas une maison de retraite, mais une véritable maison de défense des écrivains, tout autant que de la langue française. D'ailleurs les "petits hommes verts" font souvent preuve de verdeur dans leurs propos. **Dupaty**, élu avant **Victor Hugo**, lui adresse ce quatrain : *"Avant vous je monte à l'autel/ Mon âge seul y peut prétendre/ Déjà vous êtes immortel/ Et vous avez le temps d'attendre"*. **Hugo** signe, avec **Anelot**, des vers à **Mérimée** : *"Par circonstances singulières/ Les nominations dernières/ Font – et nous devons tous nous en glorifier –/ Que nous avons un chancelier. Moins râpé que nos chancelières"*.

Victor Cousin ayant affirmé que *"la décadence de la langue française a commencé en 1789"*, **Victor Hugo** réplique : *"A quelle heure, s'il vous plaît ?"*. Plus tard, devant un candidat qui ne lui plaît pas : *"Je ne voterai pas du tout/ Car l'envie a rempli d'embûches/ Pour le génie et pour le goût/ Ces urnes d'où sortent des cruches"*. La critique des académiciens n'est pas l'apanage des seuls élus à l'Académie. Soixante millions de Français s'en gaussent, puis ont le désir rentré d'y être reçus. Bien des académiciens ont eu des paroles moqueuses, voire blessantes, à son égard avant de faire amende honorable et l'Académie, bonne fille, pardonne. Le cas le plus flagrant est celui de **Robert de Flers**, auteur, avec **Caillavet**, de la pièce *L'Habit vert* (1912). La grande scène finale est célèbre. Le **duc de Maulévrier** doit lire le discours de réception du **comte de Latour-Latour**, lequel est l'amant de sa femme, trahison qu'il découvre pratiquement à la tribune ! Cela n'empêche pas **Robert de Flers** d'être élu en 1920 au cinquième fauteuil.

Bien calées entre le Pont-Neuf et le pont du Carrousel et liées au Louvre par le pont des Arts, l'Académie française et les quatre autres Académies regardent le fleuve : *"Sous le Pont-Neuf elle coule la Seine/ Où vaguement tremble un palais doré"* (**Brigitte Level**). Et **Trenet** soupire : *"J'y côtoie des gens illustres/ Membres de l'Institut/ Réunis autour d'un lustre/ Ils me disent tu"*.

L'Institut

En janvier 1635, sur recommandation de Richelieu, Louis XIII créa l'Académie française, "société de gens de lettres au nombre de quarante". *Le Parlement fit ajouter cette clause :* "Que l'Académie ne pourrait connaître que de la langue française et des livres qu'elle aurait faits ou qu'on exposerait à son jugement". *Louis XIV créa, en 1663, la petite Académie qui devint l'Académie des inscriptions et belles-lettres ; Colbert, celle des sciences et l'Académie royale de peinture et de sculpture. Un moment supprimées sous la Révolution, les Académies (française, des beaux-arts, des sciences morales et politiques, des sciences et des inscriptions et belles-lettres) forment l'Institut de France. L'Académie française, la plus célèbre, si elle a* "oublié" *Honoré de Balzac (mais pas Guez de Balzac), Stendhal, Proust et... Charles Trenet, n'en a pas moins toujours compté dans ses rangs d'illustres écrivains.*

Saint-Sulpice

La place Saint-Sulpice, au cœur du VIe arrondissement des éditeurs et des galeries, n'a rien perdu de son charme, ni l'église de son éclat. *"A Paris/ place Saint-Sulpice/ les pigeons jouent avec le large/ il y a le vent de la rue Bonaparte/ l'odeur de la Seine comme un chant d'océan/ des arbres qui flirtent avec le vent/ au soir il est d'étranges heures/ je me souviens/ rien n'était plus beau à l'ombre de l'église/ que la fontaine/ la mairie enrubannée/ le petit cinéma, je me souviens"* écrit **Franck Venaille**, et c'est très bien saisi.

Sur la fontaine carrée, quatre orateurs célèbres sont assis de chaque côté et regardent dans une direction différente. **Fléchier** regarde là où se tiennent, au 76 de la rue Bonaparte, la mairie du VIe, un éditeur et, autrefois, le cinéma Bonaparte. **Bossuet** voit les dernières boutiques d'objets pieux, submergées par celles de vêtements, qui rongent, d'ailleurs, le quartier jusqu'à Saint-Germain-des-Prés. **Massillon** s'ennuie un peu devant l'hôtel des Impôts et ne voit pas la plaque apposée sur son côté droit : *"De 1914 à 1919, dans les anciens bâtiments du séminaire de Saint-Sulpice, le Secours de guerre abrita des milliers de réfugiés et de permissionnaires français et belges"*. Il lorgne vers la rue Férou où vécut, nous dit **Alexandre Dumas**, **Athos** et où logent toujours trois éditeurs.

Fénelon voit avant tout l'église Saint-Sulpice et pense comme **Racine** : *"Oui, je viens dans son temple adorer l'Eternel"*, avec **Corneille** : *"Parle, parle, Seigneur, ton serviteur écoute"* et, ponctuel comme **Claudel** : *"Il est midi. Je vois l'église ouverte. Il faut entrer"* et y adorer : *"Ô Vierge de Paris c'est à présent que l'art/ Obscur emplit l'abîme alors que tous les plis/ Disparaissent, que tu n'es plus la Vierge mère./ C'est à présent que nous voyons le vent du temps,/ Mêlant nos murs cassés à nos tristes parvis,/ Demander sûrement si nous sommes Lazare"* (**Francis Jammes**). Dans son roman *Là-bas*, **Huysmans** place un dîner dans une tour et décrit le sonneur sous les traits de **Léon Bloy**, ce qui déchaînera la colère du *"mendiant ingrat"*.

L'église est emplie de surprises : trois tableaux de **Delacroix** dans une chapelle, sorte de musée de poche éclairé par une ampoule désuète ; sculptures de **Bouchardon** et de **Pigalle**, tout cela baigné d'une lumière à nulle autre pareille.

Elle séduit jusqu'à des chansonniers montmartrois. En 1885, **Eugène Lemercier** se veut ironique : *"Sans être un buveur d'eau bénite/ Et rien moins que dévot fervent/ Avec plaisir je rends visite/ A Saint-Sulpice très souvent/ J'aime ce lieu où résonne/ Le bruit des pas heurtant le sol/ J'aime son écho monotone/ Et triste comme un la bémol/ Pour rêver l'endroit est propice/ Et délaissant les oraisons/ Moi j'y compose des chansons/ Lorsque je vais à Saint-Sulpice"*. Mais : *"Bien qu'ils aient été moralisateurs/ Et par conséquent radoteurs/ Je veux dans les Evangélistes/ Ne voir que des littérateurs/ Or, avec eux je m'accommode/ Car, de leur temps, ces bons garçons/ Si la chose eût été de mode/ Eussent très bien fait des chansons/ Ils eussent blagué la police/ Et les cagots dans leurs refrains"*. C'est très exactement ce qu'ils firent, et les Apôtres également. Tout compte fait : *"Bref ! Je vois en eux des copains/ Lorsque je rime à Saint-Sulpice"*.

La beauté solennelle de l'église et de la place n'exclut pas le spleen : *"Haute et très froide et ses lugubres yeux/ Blancs sous l'électricité fade, elle est sans fond/ Dans la soie et l'amour et la suie sans plafond :/ Tu accables l'esprit tu exaltes le froid/ Miséreuse parmi les ors des tristes dieux,/ Les jambes de tes pas sont des tubes tout droits"* écrit **Pierre Jean Jouve** dans un poème intitulé très logiquement *Rue Saint-Sulpice*. Il y a aussi les grincheux. **Raoul Ponchon**, on ne comprend pas pourquoi, exhale une rancœur suspecte qui ne peut s'expliquer que par la rime : *"Je hais les tours de Saint-Sulpice/ Quand par hasard je les rencontre/ Je pisse/ Contre"*. Il n'avait pas vu les "erreurs" venues après sa mort et, sans le moindre doute, c'est en pensant à **Ponchon** que **Jean Dutourd** riposte : *"Je hais les tours de la Défense/ Quand par hasard je les rencontre/ Je vide ma panse/ Contre"*.

Le mot de la fin est pour **Huysmans** : *"Ils étaient arrivés au coin de la rue Férou et de la place. Durtal leva le nez et, sur un porche ouvert dans le flanc de l'église Saint-Sulpice, il lut cette pancarte : On peut visiter les tours [...] Et Durtal désigna du doigt des nuages noirs qui fuyaient, tels que des fumées d'usines, dans un firmament limoneux si bas, que des tuyaux en fer-blanc des cheminées semblaient entrer dedans et le créneler, au-dessus des toits, d'entailles claires"*.

Place du séminaire

Répondant à la statue des quatre orateurs du XVIIe siècle, œuvre de Louis Visconti réalisée entre 1843 et 1848, l'église Saint-Sulpice ferme la place et la domine. Christophe Camard, auteur du projet de reconstruction d'une église antérieure, ne le fit approuver qu'en 1643. Après de nombreuses vicissitudes et de nouveaux architectes – Servandoni, Le Vau, Gittard – la consécration aura enfin lieu en 1745, même si l'intérieur n'était pas entièrement achevé, notamment la chapelle de la Vierge. Le point de vue – technique et sans doute destiné à le mettre en avant – de Viollet-le-Duc rend perplexe : "Saint-Sulpice, par son plan et son système de structure est encore (!) une église gothique, élevée par des constructeurs médiocrement habiles".

Le Luxembourg et la fontaine Médicis

Léo Ferré chante : *"Tant que nous écrirons nos noms sur les arbres malades de l'automne"* et l'on ne peut s'empêcher de penser que ces arbres sont dans le jardin du Luxembourg, que le Luxembourg, le "Luco", est le jardin de l'amour qui passe, qui fuit, qu'on ne peut retenir : *"Elle a passé, la jeune fille/ Vive et preste comme un oiseau :/ A la main une fleur qui brille/ A la bouche un refrain nouveau"* écrit **Gérard de Nerval** dans *Une Allée du Luxembourg*. Il enchaîne : *"C'est peut-être la seule au monde/ Dont le cœur au mien répondrait/ Qui venant dans ma nuit profonde/ D'un seul regard l'éclaircit !/ Mais non ma jeunesse est finie…/ Adieu, doux rayon qui m'a lui/ Parfum, jeune fille harmonie…/ Le bonheur passait – il a fui !"*

"Dans le jardin du Luxembourg/ Les feuilles tombent par centaines" écrit **Carco**, tandis que **Léo Larguier** se rappelle que *"Bassins du Luxembourg, vous avez reflété/ Les nobles gilets blancs de Leconte de Lisle"*. Ce jardin est donc fait pour la nostalgie, mais on oublie un peu vite qu'il est aussi un jardin et que *"Au Luxembourg souvent lorsque dans les allées/ Gazouillaient des moineaux les joyeuses volées,/ Qu'aux baisers d'un vent doux, sous les abîmes bleus/ D'un ciel tiède et riant, les orangers frileux/ Hasardaient leurs rameaux parfumés, et qu'en gerbes/ Les fleurs pendaient du front des marronniers superbes"* (**Théophile Gautier**). Le Luxembourg éclate de vie et **Jules Vallès** se trompe quand il écrit qu'il *"est le plus triste des grands jardins de Paris"*. La fontaine Médicis ne trouve pas grâce à ses yeux : *"Devant cette fontaine et devant cette Muse de marbre, on voit parfois se promener, mélancolique et seule, une femme qui lit un livre ou même froisse les pages d'un manuscrit. C'est une institutrice qui revient de l'agence et attend un emploi, ou une femme qui écrit et rêve de gloire. Elles demeurent du côté du quartier Latin, ces pauvres filles chargées d'une éducation qui ne suffit pas à les faire vivre, mais qui souvent les fait mourir d'une mort affreuse et dont le récit arrache les larmes"*. **Alphonse Esquiros** sait répondre, par anticipation, à **Vallès** : *"Il est, au Luxembourg, une vieille fontaine ;/ J'aime ce monument d'origine incertaine ;/ Et près d'un banc de bois, où chacun vient s'asseoir,/ Un vague sentiment m'y ramène le soir"*. Le spleen part du cœur et non de la tête.

Son goût est d'essence divine : *"Une Vénus en pierre, au doux sourire humain,/ Cache pudiquement son ventre avec sa main"* (Id.) et la bonne tristesse, en fin de compte, régénère : *"Vénus abandonnée, ô fille de Cythère !/ Vous êtes triste et sombre en ce lieu solitaire,/ Mais moins triste pourtant, à la chute du jour,/ Ô fontaine sans eau, que mon cœur sans amour"* (Id.).

Chez **Paul Fort**, l'anamnèse est un rite de passage : *"Mais j'en ai tant vu, des fins de journée, attendrir les rues, mourir aux cheminées !/ Crépuscule sombre, et mon cœur se serre au son des tambours sourds du Luxembourg./ On ferme la porte et je reste là. Nous nous regardons, ô pauvre soldat…/ Je n'ai plus d'amour. Derrière la porte s'éteint le ciel vert sur la feuille morte./ Par delà les grilles, est-ce le Panthéon, ce dôme qui brille aux derniers rayons ?"*, puis *"Le Luxembourg exhale une odeur d'oranger. Et Manon s'arrête à mon bras"* et *"Dans tes yeux agrandis, dans tes yeux où tu penses, je vois le ciel d'étoiles sur tout le Luxembourg !"*, enfin *"Lointaine, à Saint-Sulpice, une cloche résonne. – "C'est rue de Médicis, Paul, que l'on va manger ?" – L'ombre s'accroît. Aux doux parfums des orangers se mêle la senteur amère des géraniums"*. Le Luxembourg incite à l'amour, le "Luco" invite à l'amour ; à toutes les belles inconnues croisées (*"Et déjà le Luxembourg/ Est peuplé comme un faubourg/ De dames inconsolées"*), le **docteur Montoya**, pourtant de Montmartre, dédie ces vers : *"Peut-être les reins brisés/ Par leurs terribles baisers/ Tu viendras aux saisons neuves/ Promener au Luxembourg/ Ton corps fatigué d'amour/ Las de consoler des veuves"*. Si *"Vous n'avez pas vu pêcher la carpe dans le bassin du Luxembourg, ni dévorer la viande amère des merles"* (**Fargue**), alors montez jeter un œil au Panthéon, *"ce gâteau de Savoie ayant Hugo pour fève"* (**Georges Fourest**). On va plusieurs fois au Luxembourg, dans une vie, d'abord pour s'y aimer, et puis pour se souvenir : *"C'est au jardin du Luxembourg/ Et, le Temps du Luxembourg/ Que nous nous sommes reconnus/ Et, le Temps courant à rebours/ Nos vingt ans nous sont revenus/ […] C'est au jardin du Luxembourg/ Au bruit léger d'une fontaine,/ Qu'est venu grandir un amour/ Plus fort de semaine en semaine"* (**Brigitte Level**).

Au diable Vauvert

Les amoureux ou les étudiants qui se donnent rendez-vous dans le jardin du Luxembourg ignorent qu'au XIe siècle s'y trouvait le Château Vauvert, sur lequel couraient des bruits terrifiants : apparition de revenants, réunions diaboliques, etc. Ce qui donna lieu à l'expression "aller au diable Vauvert". Le jardin, construit dès 1612 par Catherine de Médicis, est beaucoup plus calme. C'est en 1835 qu'il prend sa configuration actuelle, parachevée par la création d'une nouvelle orangerie en 1861 et le déplacement de la fontaine Médicis en 1866. Le jardin est également un musée de sculpture en plein air, consacré notamment aux gloires françaises (Baudelaire, la comtesse de Ségur, Watteau, Sainte-Beuve, Flaubert, George Sand, Massenet, Branly, Verlaine…), étrangères (Beethoven, Chopin…) ou politiques (Mendès-France).

Saint-Germain-des-Prés

Saint-Germain-des-Prés est une île. On peut y accéder par l'eau, par la Seine : *"S'embarquer un soir/ Sur le pont d'un chaland/ Poussé par le vent droit devant/ En longeant la Cité/ Accoster sur le quai Malaquais"* (**Francis Lemarque**). On peut y accéder par le faubourg Saint-Germain – c'est à cela que servent les faubourgs – par la rue de Varenne où vivait **Aragon** : *"Je suis né tout près d'ici sur l'esplanade des Invalides/ Mourir en Seine-et-Oise ou dans le Septième Arrondissement/ Sauf erreur du destin je puis choisir le lieu du dénouement/ Mon Dieu que cette vie au bout va m'apparaître longue et vide"*, par la rue de Rennes où le même **Aragon** se souvient : *"On entend sourdement au dehors les voitures/ Ce quartier vers le troisième étage a toujours une certaine qualité de noir/ Vous n'avez pas faim cela peut prendre encore excusez-moi/ Il est neuf heures du soir la sonnette du cinéma/ Tout va comme si de rien n'était même nous-mêmes"*.

Une fois qu'on y est, on y est bien. On y flâne : *"Je pris le boulevard Saint-Germain/ Et sur une petite place située entre Saint-Germain-des-Prés et la statue de Danton/ Je rencontrai les saltimbanques"* (**Apollinaire**). On s'y installe : *"J'habite à Saint-Germain-des-Prés/ Et chaque soir j'ai rendez-vous avec Verlaine"* (**Léo Ferré**). *"Souvent on est flanqué d'Apollinaire"* (Id.). Et **Ferré** nous fait visiter : *"Vous qui passez rue de l'Abbaye/ Rue Saint-Benoît, rue Visconti/ Près de la Seine/ Regardez l'monsieur qui sourit/ C'est Jean Racine ou Valéry, peut-être Verlaine"*.

A Saint-Germain-des-Prés, les grands hommes prennent pension : *"Quand […] je raccompagnais Montherlant jusqu'au quai Voltaire, si nous passions par la rue de Beaune, je pensais aux mousquetaires gris qui y eurent leur hôtel, ainsi qu'à la marquise du Deffant et à Chateaubriand qui y vécurent"* se souvient **Gabriel Matzneff**.

Mais voilà, l'amour complique tout : *"Maintenant que tu vis/ A l'autre bout d'Paris/ Quand tu veux changer d'âge/ Tu t'offr's un long voyage/ Tu viens me dire bonjour/ Au coin d'la rue du Four"* soupire **Guy Béart** qui conclut : *"Il n'y a plus d'après/ A Saint-Germain-des-Prés"* alors que *"A vivre au jour le jour/ Le moindre des amours/ Prenait dans ces ruelles/ Des allur's éternelles"*.

Le clocher

L'actuelle église de Saint-Germain-des-Prés n'a strictement plus rien à voir avec l'abbaye et le palais abbatial détruits en 1790. Ses origines remontent à 543, quand elle fut fondée par Childebert Ier, fils de Clovis, et dédiée à saint Germain le 23 décembre 558. Bien que pillée par les Normands en 845 et 858, et incendiée en 861, elle renaît toujours pour atteindre son apogée en 1685 par la construction du palais abbatial. La gloire plus récente du quartier Saint-Germain-des-Prés est profane. Les jeunes gens des années cinquante aimaient se réunir dans les caves du quartier – la plus célèbre fut le Tabou – pour danser et – dit-on – philosopher, sans doute en réminiscence de la dure période des années de guerre.

Les cafés de Saint-Germain

Trois phares illuminent les alentours de la place Saint-Germain-des-Prés : Les Deux Magots, surnommé par une connaissance de **Fargue**, "les deux mégots", Le Flore et Lipp. Il existe un prix littéraire des Deux Magots, très coté dans les années cinquante et de nouveau en hausse aujourd'hui, et un prix Cazes, du nom du fondateur de la brasserie Lipp. Saint-Germain est donc, qu'on le veuille ou non, un lieu de la littérature française, en tout cas, d'une littérature connue, reconnue et célèbre. Ceux qui vont dans un de ces cafés peuvent rêver de "les" croiser et d'ailleurs ils les croisent. Mais point trop n'en faut et comme le fait remarquer **Gabriel Matzneff** : *"Le jour inéluctable où (Le Flore et Les Deux Magots) fermeront leurs portes, vous vous consolerez en songeant que Chateaubriand n'y a jamais bu de diabolo menthe […] et qu'il a quand même vécu très largement"*. C'est l'éternelle nostalgie du temps qui fuit : *"Où est-il parti/ le petit monde fou du dimanche matin/ Qui donc a baissé cet épouvantable rideau de poussière et de fer sur cette rue"* soupire l'inusable **Prévert** à propos de la rue de Buci où, tout près, se trouve un restaurant appelé Le Temps perdu.

La vision de **Fargue** est tout autre : *"La place Saint-Germain-des-Prés […] est […] un des endroits de la capitale où l'on se sent le plus à la page, le plus près de l'actualité vraie, des hommes qui connaissent les dessous du pays, du monde et de l'Art"*. Quoi qu'on en dise, le véritable habitant des lieux, actionnaire et, par là même, propriétaire des cafés de Saint-Germain, de tous les cafés, c'est le consommateur. Le vrai, le grand, le seul plaisir du café et des terrasses, c'est la dégustation, mais une nouvelle fois, l'amour complique tout : *"De tous les jardins de Paris/ De tous les cafés de Paris/ Par les temps clairs et les temps gris/ Nous avons fait nos paradis/ […] Des arcades de Rivoli/ Jusqu'au coin du Cherche-Midi/ Du Luxembourg à Montsouris/ Ils nous ont ouvert leurs abris/ […] Nous avons bavardé, souri/ En amoureux et en amis/ Nous avons parsemé Paris/ De talismans et de grigris"* (**Brigitte Level**). Revenons à la boisson et, sans aller jusqu'à faire nôtres les paroles que **Girard de Saint-Amant** prête à **Pantagruel** : *"Si bien qu'à mon exemple, ainsi que l'histoire/ Partout à gueule ouverte on demandait à boire/ A BOIRE ! A BOIRE !"*. Convenons que le vin c'est bien.

Du bon usage des cafés

Une légende tenace prétend que le terme "bistrot" provient du terme "bistro", "vite !" en russe, que les Cosaques assoiffés (qu'on nous pardonne le pléonasme) lançaient aux tenanciers des mastroquets sur les Champs-Elysées en 1815. Bistrot apparaît et se répand vers 1910 : écart de dates trop grand. Plus vraisemblablement, vient de bistrot, ou bistot, terme du Poitou et de la Bourgogne, qui signifie "petit domestique" ou "commis d'auberge." Troquet semble être un croisement de bistrot et de mastroquet.

Fontaine Saint-Michel

"Je remonte la rue Saint-Jacques, les épaules enfoncées dans mes poches. Voici la Sorbonne et sa tour, l'église, le lycée Louis-le-Grand" écrit **Blaise Cendrars**.

De cette Sorbonne, **François Villon** disait que *"Finalement, en écrivant,/ Ce soir, seulet, étant en bonne,/ Dictant ces lais et décrivant,/ J'ouïs la cloche de Sorbonne,/ Qui toujours à neuf heures sonne/ Le salut que l'Ange prédit"*.

Remonter la rue Saint-Jacques ? Soit. Mais pourquoi pas, comme **Philippe Soupault**, effectuer un mouvement contraire : *"Je descends lentement le boulevard Saint-Michel/ je ne pense à rien/ je compte les réverbères que je connais si bien/ en m'approchant de la Seine/ près des ponts de Paris…"* ?

André Salmon, lui, penche pour le mouvement ascendant : *"Je montai, le cœur gros, la vieille rue Saint-Jacques/ Dont les cloches illustres carillonnaient Pâques"*, tout en rendant hommage à **Villon** : *"Rue Saint-Jacques, où j'ai vécu un rude hiver/ Que suivit par hasard un été tropical,/ Et puis un autre hiver,/ Dans une pauvre chambre encombrée de reps vert/ Eté comme hiver plein de senteurs automnales,/ Je pouvais tout le jour songer à François Villon"*. **Salmon** ne prend pas la pose : *"Et j'y songeais vraiment,/ Couché sur mon vieux lit qui devait ressembler/ Au lit qu'il posséda, peut-être, rue Saint-Jacques"*.

Souvent, c'est le chansonnier qui départage les poètes. **Gabriel Montoya**, en 1896, fait chanter *"Le Boul' Mich' quand minuit sonne/ Au cadran de la Sorbonne/ De tous les côtés rayonne/ Aux flammes des becs de gaz/ On voit à travers des vitres/ Des gens qui boivent des litres/ Et même quelques bélîtres/ Qui savourent le Gil Blas"* (il s'agit d'un journal et non d'un apéritif). *"Des ivrognes combien rares/ Esquissent des pas bizarres/ Et font sonner les fanfares/ De leurs timbres épuisés,/ Et parfois sur la chaussée/ Malgré la Maréchaussée/ De leur panse courroucée/ Chassent des flots irisés"*. Mais *"Alors surgissent des rues/ De tous côtés accourues/ Comme un vol épais de grues/ Des femmes au teint pâli/ Qui semblables aux bacchantes/ Viennent offrir, provocantes,/ Les voluptés fatigantes/ Au noctambule avili"*. *"Et le passant que rebute/ Le prix élevé discute"*.

C'est que le Quartier latin n'est pas que latin, mais aussi quartier. Jusqu'aux années soixante, il y avait un café, la Boule d'or, au bas du boulevard, place Saint-Michel exactement. Au sous-sol, on appelait le garçon en le sonnant, en appuyant sur des boutons. Certains soirs, un farceur louait la salle, se vêtait en ange, avec un drap blanc et des ailes collées on ne savait comment. Il se faisait appeler l'ange cyclamen. Dans la salle, se mêlaient, dans un désordre qui était peut-être celui de "l'effet de l'art", des dames d'âge mûr et des jeunes gens assoiffés et, parfois, affamés. Les dames offraient un verre aux garçons et l'ange passait, recommandant d'un ton docte le mélange des sexes et se livrant sans retenue au prosélytisme amoureux.

Et la fontaine, dans tout cela ? En bas de laquelle tant d'amoureux se sont retrouvés, après s'être rencontrés sur les bancs d'une faculté ou la banquette en moleskine d'un bistrot. Elle fut construite de 1858 à 1860, sur ordre d'**Haussmann**, par **Gabriel Davioud**, pour fermer la perspective du boulevard du Palais, percé en 1858. Les sculptures sont de **Francisque-Joseph Duret, Louis-Valentin Robert, Jean-Auguste Barre, Claude-Jean Guillaume, Charles Gumery, Auguste Debay**. C'est à n'y pas croire, mais leurs patronymes sonnent comme ceux de poètes parnassiens. La boucle se boucle par l'art, par la Beauté.

A gauche, sur le quai des Grands-Augustins, il n'y a plus que l'enseigne de ce qui fut un cabaret, l'Ecluse, où débuta **Jacques Brel**, puis **Barbara**, qui chantait **Jacques Brel** et… **Georges Brassens** qui n'y débuta pas. En ces temps-là, les artistes se produisaient dans plusieurs cabarets le même soir et, ainsi, parvenaient à vivre de leur art, par effet d'accumulation. A l'Ecluse, la salle était petite et les coulisses étaient le couloir d'entrée de l'immeuble. Les habitants, en rentrant chez eux, sentaient passer sur leurs épaules, l'espace d'un instant, le frisson de la gloire… A nouveau par la gauche : *"Jouxte la rue de l'Hirondelle/ Et la rue Gît-le-Cœur,/ En haut du marchand de liqueur,/ Soupire un cœur fidèle/ Pour un spahi rouge et rouquin/ A la hanche insolente,/ C'est lui ! Sous sa pourpre sanglante,/ Tel un Mars africain,/ Il passe. Il rit à travers d'elle ;/ Il fait sonner son pas./ Et si bas qu'on ne l'entend pas/ Soupire un cœur fidèle"* (**Paul-Jean Toulet**).

Place Saint-Michel

La place Saint-Michel est un carrefour stratégique et il ne faut pas s'étonner que, pendant la Libération de Paris, en août 1944, des combats s'y soient déroulés. Il est vrai qu'en face, on trouve aussi bien la préfecture de Police, l'hôpital de l'Hôtel-Dieu, sans oublier, bien sûr, Notre-Dame, le Palais de Justice qui abrite, comme dans un écrin, la Sainte-Chapelle, et le tribunal de Commerce. Autour d'elle se mélangent des boulevards créés pour permettre une meilleure circulation et une meilleure liaison entre les deux rives, et des rues étroites, dont la moins large de Paris : la rue du Chat-qui-Pêche.

La montagne Sainte-Geneviève

L'église qui s'appelle aujourd'hui le Panthéon devait être originellement consacrée à **sainte Geneviève**. La chanson populaire n'oublie pas la patronne de Paris. Dans *Irma la douce*, comédie musicale dont le livret est d'**Alexandre Breffort**, pilier du *Canard enchaîné* des années cinquante, **Colette Renard** chante : *"On naît protégés par Paris/ Sur nos têtes veille en personne/ Sainte Geneviève la patronne/ Et c'est comme si qu'on était bénis"*.

Sainte Geneviève est également honorée, pont de la Tournelle, par une statue de **Paul Landowski**, érigée en 1928, mais son ombre plane sur toute la montagne qui porte son nom, depuis le bas de la rue Soufflot jusqu'aux rivages du Jardin des Plantes, du palais de la Mutualité, construit en 1931, jusqu'à l'endroit où se tenait l'ancien bal Bullier, aujourd'hui pesante bâtisse universitaire. **Georges Gabory** se souvient : *"En sortant de Bullier je faisais mes épates/ Tout fier d'avoir trouvé ce mouton à cinq pattes/ Une femme ! Un objet plus ou moins profané/ Par l'usage et l'abus, mais à cheval donné…"*

Le souvenir de **Mac Orlan** se porte plutôt sur la Sorbonne : *"L'étudiante attentive hésite/ Entre le Bouic et la Sorbonne/ Non pour le plaisir de se faire remarquer/ Mais afin de passer inaperçue/ Le temps de terminer son livre"*.

Non loin de là, **Paul Fort**, à un premier rendez-vous, square Monge : *"Ah ! vraiment, c'est d'un beau vert, et c'est très joli, le square Monge : herbe verte, grille et banc verts, gardien vert, c'est, quand j'y songe, un beau coin de l'univers"*.

La place Maubert est d'extraction plus fruste : *"Je m'demande à quoi qu'on songe/ En prolongeant la ru' Monge/ A quoi qu' ça nous sert/ Des esquar's, des estatues/ Quand on démolit nos rues/ A la plac' Maubert […] Aussi, bon Dieu ! j'vous l'demande/ Quand y aura pus d'ru' Galande/ Pus d'Hôtel Colbert/ Ousque vous voulez qu'i's aillent. Les purotins qui rouscaillent/ A la plac' Maubert ?"*. On reconnaît la patte inimitable d'**Aristide Bruant**.

La place Maubert eut un chantre encore plus passionné : **Jacques Yonnet** (1915-1974) qui, dans un seul livre, publié d'abord sous le titre *Enchantement sur Paris*, puis sous le titre souhaité *Rue des Maléfices*, décrit un V[e] arrondissement, une île de la Cité et un XIIIe, zone frontière, avec leurs clochards, leurs chiffonniers, leurs artisans, leurs piliers de bistrot, en mêlant le fantastique et l'enquête ethnographique, ce qui finit par faire croire au lecteur que l'irréel est authentique.

Du Jardin des Plantes, **André Hardellet** écrit : *"Quand la nuit et la solitude s'en emparent, il devient un territoire voué à l'enchantement. D'un monde insolite enclos dans la ville endormie – de l'autre, l'ordonnance régulière des parterres baignant dans le clair de lune y déploie sans contrainte tous ses charmes"*. Chacun de nous a eu, un jour, l'envie d'être enfermé, pour une nuit, dans un musée ou un jardin, afin de vivre dix ou douze heures dans un lieu hors du temps et pénétrer ainsi dans une autre dimension. Cela rappelle le film *Zoo à Budapest* (1933) que **Jean Tulard** commente ainsi : *"Une jeune fugueuse se cache dans le zoo de Budapest. Un gardien […] la découvre. Ils vont nouer une idylle au milieu des animaux. Cette romance sentimentale fit délirer les surréalistes. La beauté des images, l'originalité du site, la présence des animaux donnent à cette œuvre un caractère magique"*. Cela évoque aussi le film *Pension Jonas* (1941), histoire d'un clochard qui trouve refuge dans une baleine empaillée du Muséum d'histoire naturelle.

"Charmante comédie", dit encore **Jean Tulard**, *"restée célèbre pour avoir été, dit-on, interdite pour "cause d'imbécillité" sous l'Occupation"*.

La montagne Sainte-Geneviève et ses faubourgs recèlent des lieux originaux qui contrastent profondément avec ses lycées et ses écoles, ses cinémas d'art et d'essai et ses bistrots à vins. Outre la Halle aux vins, aujourd'hui disparue, dont **Léon-Paul Fargue** disait : *"La Halle aux vins, contrairement à ce que l'on pourrait croire, est un des endroits les plus délicieux de Paris […] le voyou y est rare, le comptable poli, le badaud respectueux"* ; une halle aux cuirs, également disparue, mais dont le métro Censier-Daubenton conserva la trace jusqu'en 1965 ; les Arènes de Lutèce, où se produisirent, au début des années soixante, des groupes de twist ; une salle – fermée – de la Cinémathèque française où les places valaient 1 franc, réglé à une caisse, et 1 centime réglé à une autre ; des fresques "art déco" de **Jaulmes** dans l'escalier et la salle des fêtes de la mairie du Ve, etc.

Le Panthéon

Louis XV, à la suite d'un vœu, se rendit en pèlerinage à la vieille église de l'abbaye Sainte-Geneviève. Il promit de la reconstruire aux frais de la Couronne. La première pierre fut posée en 1764, mais l'architecte Soufflot mourut en 1780. En 1791, l'église est transformée en panthéon des gloires françaises, idée avancée dès le début du siècle. A ses côtés, l'église Saint-Etienne-du-Mont, commencée en 1492 et dont Viollet-le-Duc écrit : "La façade de ce monument ressemble un peu trop à ces meubles appelés cabinets au commencement du XVIIIe siècle", ce qui dénote chez lui, à tout le moins, une curieuse conception de l'architecture.

Fluctuat nec mergitur

La Seine n'a pas causé grand tort à Paris et aux Parisiens. On peut lui pardonner une crue, par-ci, par-là, quand on songe à tout ce qu'elle leur a apporté. Des poèmes, des chansons, bien sûr, et aussi l'amour, *"Car la Seine est une amante/ Et Paris dort dans son lit"*, ce qui lui donne, pour services rendus, le droit, de temps en temps, de déborder. Les vers cités sont extraits d'une chanson écrite par **Flavien Monod** et **Guy Lafarge** et composée par ce dernier en 1948. Elle s'intitule, tout simplement, *La Seine*. Le refrain : *"Ell' roucoule, coule, coule/ Du Pont-Neuf jusqu'à Bercy/ Elle est saoule, saoule, saoule,/ Au souvenir de Bercy"*. Le troisième couplet est suave, et même sensuel : *"Mais la Seine est paresseuse./ En passant près de Neuilly/ Ah! Comme elle est malheureuse/ De quitter son bel ami!/ Dans une étreinte amoureuse/ Elle enlace encore Paris./ Pour lui laisser, généreuse,/ Une boucle à Saint-Denis!"*

Las! L'Assemblée nationale qui la surplombe, même si elle a inspiré **Lamartine**, quoique moins que ses amours, magnifique monument par ailleurs, devint un symbole honni à la fin de la IIIe République. **Prévert** a beau écrire : *"Enfant, sous la Troisième, j'habitais au quatrième une maison du dix-neuvième"*, **Milton** n'en chante pas moins, en 1929 : *"Naturell'ment, c'est le mêm' relâch'ment dans la République/ Naturell'ment, c'est le mêm' relâch'ment dans l'gouvernement [...] Comme il n'y a plus de frein [...] C'est nous qui sommes dans l'pétrin [...] Si j'étais chef de gare de cette gare-là/ Je ferais* (il émet deux brefs coups de sifflet) *arrêtez-vous, halte-là!/ Des fois si par hasard vous vous arrêtez pas/ Je ferais* (id.) *et on vous arrêtera/ Allez, videz vos poches, viv'ment vos mains en l'air!/ Vos gueules sont trop moches/ Pour nous coûter si cher/ J'enverrais tous ces gars/ A la Guyane, là-bas/ Si j'étais chef de gare de cette gare-là"*.

Pour oublier ces époques heureusement révolues, la parole est à **Francis Lemarque** : *"Le soleil a bu la rivière/ La rivière est devenue nuage/ Le vent a poussé le nuage/ Le nuage est parti en voyage/ Il a roulé carrosse/ Il a roulé sa bosse"* et tout va tout de suite mieux. Nul doute que le bon peuple ne prenne plaisir à cette mise en boîte, et peut-être qu'une **Mistinguett** a laissé dans ses cartons un *"fluctuat mec nervitur"*.

Assemblée nationale

Le symbole – en même temps que la réalité concrète de la démocratie parlementaire – remonte, comme bien souvent, à l'Ancien Régime. Le Palais-Bourbon ainsi que l'hôtel de Lassay (résidence du président de l'Assemblée) ont été construits par le même architecte, Aubert, alors qu'on les a longtemps attribués à Gabriel. Les deux bâtiments, édifiés entre 1726 et 1730, étaient destinés l'un à Louise-Françoise, fille légitimée de Louis XIV, l'autre au marquis de Lassay. En 1792, les deux palais deviennent propriété de la Nation. La recréation et la redistribution des salles se feront de 1795 à 1843, notamment en 1828 par Jules de Joly. L'amateur d'art notera que la bibliothèque a été peinte par Delacroix (à partir de 1838), ainsi qu'un salon (1833). D'autres peintres ont également participé à la décoration comme Ary Scheffer, Horace Vernet, etc.

Statues, etc.

Au premier plan, *Mercure* et *La Renommée* chevauchant *Pégase* encadrent, au second, *Lyon* et *Marseille*, qui semblent dire à l'adresse de la représentation nationale : *"N'oubliez pas la province ; n'oubliez pas que la France ne se limite pas à Paris"*.

Mercure et *La Renommée* sont l'œuvre d'**Antoine Coysevox**, sculpteur français né à Lyon et mort à Paris en 1720. Il est célèbre pour son œuvre décorative à Versailles (cour de Marbre, Grande Galerie, salon de la Guerre, escalier des Ambassadeurs, etc.) et, aussi, pour des cénotaphes, comme celui de **Mazarin** à l'Institut et celui de **Colbert** à Saint-Eustache. Une modeste rue du XVIIIᵉ arrondissement lui est dédiée.

L'Assemblée nationale s'appela Chambre des députés, ce qui prêtait à équivoque et ne manqua pas d'être épinglé par diverses mauvaises langues. On ne dormait pas tant que ça à la Chambre sous la IIIᵉ et la IVᵉ République. **Raoul Ponchon**, poète râleur, publie dans le journal *Le Courrier*, le 30 juin 1898, un "poème" intitulé *Palais-Bourbon* et sous-titré *La séance est ouverte*. Un souci d'objectivité nous fait un devoir d'en reproduire quelques extraits : *"Crétin ! Canaille !/ Pitre ! Abruti !/ Chameau ! Volaille !/ Paquet ! Outil !"*

Le ton est donné et si quelques insultes rares sont omises par **Ponchon**, mort en 1937 au cœur des plus belles années, c'est plus par souci de la rime que par respect des chastes oreilles. Comme aux plus beaux jours de l'antimilitarisme, *"vache"* rime avec *"ganache"*, mais l'anticapitalisme primaire n'oublie pas de faire accorder *"égoût"* avec *"filou"* ou même *"marlou"*. Il y a tellement de rimes en "ou" que **Ponchon** va jusqu'à enlever son "r" à *"topinambour"*. Les rimes en "ouille" ne sont pas mal non plus, si l'on en juge par *"varpouille"* dont aucun dictionnaire ne nous a donné la signification. Une seule certitude, cela ne doit pas être très joli.

Pour parfaire les connaissances des lecteurs, il n'est pas mauvais de leur offrir encore quelques rimes : *"Gros patapouf ! / Béni bouf-bouf/ [...] Fistule ! Pet !/ Eau de bidet !"* et quelques perles comme *"Gland de potence"*, réellement poétiques, tout compte fait. Nous abrégeons pour ne pas fatiguer le lecteur, mais *"Rasta ! Cocu !* (inévitable)/ *Asticot/ Cul !"* sont tout aussi bien troussées. Et **Ponchon** conclut : *"On passe à l'ordre du jour"*.

L'oncle et le neveu

Si les deux villes ci-contre sont l'œuvre du sculpteur Louis Petitot, la part du... lion revient aux célèbres chevaux de Marly, sculptés par Guillaume Coustou, neveu d'Antoine Coysevox, réalisés en 1745, justement pour remplacer à Marly Mercure *et* La Renommée *de l'oncle (ci-contre). En 1795, le peintre David, qui en a dessiné les piédestaux, les fait dresser à l'emplacement qui sera le leur jusqu'en 1984-1985, où l'ensemble de Coustou et Coysevox est transporté au musée du Louvre, et remplacé sur place par des moulages en marbre rigoureusement identiques. Pollution oblige.*

Montparnasse

Quoi de commun entre les beaux immeubles de la rue Notre-Dame-des-Champs et la rue de la Gaîté ? Montparnasse ! Pour la rue de la Gaîté, ce serait plutôt *"Montpernasse"*, comme disait **Bruant**. La rue de la Gaîté était un monde à part. **Jean Galtier-Boissière** raconte, dans ses *Mémoires d'un Parisien*, qu'en 1914, sur le front, il croise un blessé, *"le doigt déchiqueté"*, qui lui dit *"avec l'accent de la rue de la Gaîté : Enfin, j'vas pouvoir soigner mon entérite"*. Cette rue, de deux cents mètres de long, avait suffisamment de personnalité(s) pour s'offrir un accent ! Elle a bien vécu jusqu'à la disparition de ses trois cinémas permanents et, surtout, du music-hall Bobino, où **Brassens**, qui ne dédaignait pas de passer à l'Olympia sur la rive droite, venait chanter pour le public de la rive gauche et surtout pour ses *"bons enfants"* du XIVe arrondissement, même si *"Rue de la Gaîté il n'est pas de tristesse qui vaille/ de remuer les prestiges d'un ancien soleil"* (**André Frénaud**).

Non loin de là, **Charles Trenet** dresse le décor d'une histoire d'amour : *"Votre corps charmant se donne à minuit/ Dans un p'tit hôtel tout près de la rue Delambre/ Y a pas d'eau courante et pour faire pipi/ C'est au fond d'la cour mais là-bas y a pas de lumière"*. Les enfants du coin ont cessé de chercher de quel hôtel il s'agit, le quartier en est plein, et ce n'est sûrement pas celui de la rue Delambre où une plaque nous apprend qu'**André Breton** logea en 1921.

Rue Delambre, carrefour Edgar-Quinet, il y a aussi des bistrots, mais plus de ces péripatéticiennes comme celle qui, à Montparnasse, *"avait quequ's cheveux graisseux/ Perdus dans un filet crasseux/ Qu'avait vieilli sur sa tignasse/ A Montpernasse"* (**Bruant**, mais qui d'autre ?).

Pour **Fargue**, il n'y a pas un Montparno populaire et un Montparnasse plus huppé, une différence entre le XIVe et le VIe. Il y a d'abord *"celui du carrefour Montparnasse-Raspail, où s'étale tout le déchet – et parfois l'élite – de l'Europe intellectuelle et artistique"*. Trois pages et demie plus tard, il évoque l'autre : *"le vrai Montparnasse [...] doré, aérien, tendre"*, c'est-à-dire celui des artistes et, essentiellement, celui des peintres. Mais ceci, comme disait **Kipling**, est une autre histoire...

Rue de la Gaîté

Simple chemin vicinal situé au-delà de la barrière d'octroi du Montparnasse, la rue de la Gaîté fut justement dénommée ainsi, dès le tout début du XIXe siècle pour ses bals, ses guinguettes, restaurants, théâtres et lieux de plaisir et de délassement. Au 20, rue de la Gaîté, dès 1850, fut construit les Mille colonnes, ancêtre de Bobino, mais les Mille colonnes, déplacé, fut également un caf'conc', un cinéma (peu pratique à cause des colonnes), un restaurant bon marché et une salle de cinéma "X". Aujourd'hui réhabilité, le lieu est consacré aux produits du terroir d'une province française. Au 21, il n'y a pas si longtemps, se tenait le restaurant de la Belle Polonaise, où les vedettes de Bobino venaient terminer la soirée. Etouffée par un nombre anormalement élevé de sex-shops, la rue de la Gaîté semble, pourtant, prête à revivre.

Quartier Montsouris

Au départ, comme souvent dans Paris, il n'y avait rien : un désert seulement ponctué de quelques moulins à vent. Alors **Napoléon III** fit le XIVe arrondissement, et ce qui fut pris à Montrouge, à hauteur de l'actuelle rue d'Alésia jusqu'au Boulevard périphérique, devint un endroit de Paris qui n'oublia jamais la campagne. C'est mieux ainsi et l'un de ses quartiers devint le Petit Montrouge. Il est fort possible que ce fut celui-là qui servit de décor à **Bruant** et non l'autre : *"Mon daron voyait tout en noir/ I'f'sait l'croqu'mort dans* L'Assommoir/ *C'est pour ça qu'on l'ap'lait Bazouge/ A Montrouge"*.

Cette jeunesse du quartier explique que peu de poètes l'ont chanté, à l'exception de **Jacques Prévert** qui évoque *"La petite seconde d'éternité"* où il embrassa quelqu'un qui devait lui tenir à cœur *"Un matin dans la lumière de l'hiver/ Au parc Montsouris à Paris"* dans une courte pièce intitulée – comme de juste – *Le Jardin*.

C'est rue Gazan que vécut l'aviateur **Jean Mermoz** ; c'est au 18, villa Seurat, qu'habita **Henry Miller**, suffisamment de temps pour y écrire *Tropique du cancer* et *Tropique du capricorne*. Dans ces années-là, des artistes cherchaient des ateliers et des architectes cherchaient des terrains pour y prouver leurs théories. Ces terrains étaient disponibles dans ce coin de Paris (et dans d'autres aussi).

André Lurçat construisit des maisons particulières et fut actif villa Seurat au 1, au 3, pour le peintre **Marcel Gromaire**, au 3 bis, pour **Edouard Goerg**, au 4, pour son frère, le peintre et tapissier **Jean Lurçat**, ainsi qu'aux 5, 8, 9 et 11 et, au 14, rue Nansouty pour le peintre **Guggenbuhl**. **Auguste Perret** fit de même au 7 bis de la même voie pour la femme sculpteur **Chana Orloff**, atelier occupé par la suite par **Soutine**, ainsi qu'une villa au 2, square Montsouris.

Le Corbusier, aidé de son cousin **Jeanneret**, réalisa un des cubes dont il avait le secret au 53, avenue Reille, juste en face des pavillons de style 1900 qui surmontent le réservoir d'eau de Montsouris de leurs jolies verrières. Une curieuse maison surplombe l'avenue René-Coty, l'atelier de **Jean-Julien Lemordant**, peintre célèbre avant la Première Guerre mondiale et qui en revint malheureusement aveugle. Il confia à un architecte, **Jean Launay**, la tâche de réaliser un atelier, sorte de proue de navire émergeant de la petite butte de la rue des Artistes et dont la coque est un mur presque aveugle qui semble soutenir le réservoir de la Vanne, tout proche. Non loin de là, une autre réalisation des années trente abrita **Salvador Dali**, surnommé Avida Dollars par **André Breton**.

Le quartier est riche en noms de rues consacrées à des artistes : **Alphonse Daudet**, **Paul Fort**, **Georges Braque** – au 6 de la rue qui porte son nom, dans un ouvrage de **Perret** –, le créateur de formes **Maurice Loewy** et **le Douanier Rousseau**, qui vivait beaucoup plus loin, avenue du Maine, tout contre l'ancien pont de chemin de fer, aujourd'hui détruit.

Fargue raconte : *"Il avait coutume de dire, à cette époque : nous avons quatre grands écrivains : M. Octave Mirbeau, M. Jarry, M. Fargue et M. Prudent-Dervillers (ce dernier étant le conseiller municipal du quartier)"*.

C'est sur la place Jules-Hénaffe que furent tournées des scènes du film *Gueule d'amour* de **Jean Grémillon**, d'après le roman d'**André Beucler**. On y voit, notamment, **Jean Gabin** sortant d'une usine aujourd'hui disparue. En remontant, au-delà de la rue d'Alésia, vers Denfert-Rochereau, on ne peut être surpris de trouver une place Michel-Audiard, tant celui-ci vanta son XIVe.

Au 19, avenue du Général-Leclerc, ex-avenue d'Orléans, se trouve un ensemble original construit à la fin du XIXe siècle : la villa Adrienne. C'est une cour carrée abritant un jardin. Sur trois côtés, ont été édifiés des immeubles de quatre étages, en briques rouges, et, sur le dernier, des hôtels particuliers. Les entrées des immeubles portent les noms de **Watteau**, **Pascal**, **Lavoisier**, **Berlioz**, etc. Il y a toujours quelqu'un à croiser, dans le XIVe. Rue Hallé, le promeneur vit longtemps **Jacques Dutronc** déjeunant dans un bistrot ; rue de la Tombe-Issoire, le chroniqueur de Paris, **François Caradec**, spécialiste d'**Alphonse Allais**, non loin de sa jolie maisonnette ; le dessinateur humoristique – d'humour souvent noir – **Trez**, près d'une délirante construction Renaissance rue du Parc-de-Montsouris, construction qui fut édifiée au début du siècle pour un romancier célèbre et oublié, **Michel Morphy**. Et, à quelques pas de là, parc Montsouris : *"Le saule mussetiste/ S'afflige dans l'étang/ En nos cœurs tu persistes : Romantisme d'antan…"* (**Brigitte Level**).

Parc Montsouris

On a coutume de rappeler que le futur Napoléon III, en exil à Londres, fut impressionné par les jardins à l'anglaise de la capitale britannique, ce qui l'incita à doter Paris de vingt-quatre squares et parcs. Celui de Montsouris fut créé de toutes pièces par l'ingénieur Alphand sur des terrains vagues, des pépinières et d'anciennes carrières – nous sommes à côté des Catacombes de la barrière d'Enfer, actuelle place Denfert-Rochereau – pour aboutir à un "monument végétal" (Jean Villetay) de plus de seize hectares, mais dont les travaux durèrent de 1865 à 1878. Le parc conserve la mire du méridien de Paris et abrita la réplique, à une échelle réduite, du palais du Bardo de Tunis.

La Petite Ceinture

La ligne de chemin de fer de la petite ceinture fait le tour de Paris. Sans embonpoint, mais d'une taille normale, elle l'enserre, désaffectée, presque abandonnée et heureusement laissée en état car *"la Ceinture forme une véritable couronne de rêve, un retranchement de liberté, et la seule solution qui s'impose est de la maintenir telle quelle en offrande aux dieux de l'inutile"* (**Jacques Réda**). Lequel ajoute : *"A la longue, si on la préserve sans ramollissements de nostalgie et de bonne volonté, on ne sait quoi de grandiose surgira de cette sauvagerie édentée et brutale"*.

Chacun voit Paris à sa porte. *"Le XIVe arrondissement possède sa langue et sa culture/ Et l'autoroute porte d'Orléans, c'est le début de la côte d'usure"* chante **Renaud**.

Au dernier étage d'un immeuble de l'avenue Paul-Appell, vivait **Marie Dormoy** qui recueillit et édita le journal de **Paul Léautaud**. **Brassens** admirait **Léautaud**, pas seulement pour les chats. Un jour, un gosse de Paris croise **l'oncle Georges** dans l'ascenseur. Il court chez lui, prend un album 25 centimètres de **Brassens** dans la discothèque de son père, monte chez **Marie** et se le fait dédicacer. Il l'a toujours.

Par la porte d'Orléans, par les artères qui portèrent des noms de lieux avant ceux des héros, par l'avenue d'Orléans, par la rue de Vanves, s'avance le promeneur du XIVe. Ce peut être **Henri Calet**, ou **Léon Bloy**, qui trouvait la décoration de l'église Saint-Pierre-de-Montrouge "mérovingienne". A l'angle des rues Didot et d'Alésia, on découvre l'école communale où **Michel Audiard** apprit le français, pas mal du tout si l'on en juge par ses résultats post-scolaires. A l'angle des rues Hippolyte-Maindron et du Moulin-Vert, c'est l'atelier de **Giacometti**.

Le XIVe est un jardin extraordinaire. **Audiard** se souvient d'*"un de ses enchantements, ces venelles suspendues où barbouillent des peintres, ces cours vertes où dorment les statues"*. Il évoque aussi *"Les confins inquiétants du XIIIe"* et poursuit : *"Il avait connu tout au plus les talus des fortifs, le long du boulevard Brune, juste avant la destruction. J'étais même pas sûr qu'il se soit aventuré si loin dans le sud"*, puis : *"Parce qu'il était pas de l'avenue Montsouris, Bébert, mais de la rue Saint-Yves. Pas confondre !"*

Cette frontière lâche où ville et village se touchent, se rejoignent, se confondent, cet endroit tant cherché par le poète, cette place d'une vague inquiétude où le *"coin de rue aujourd'hui disparu"* (**Charles Trenet**) se divise encore pour aboutir à un lieu magique, qui n'est ni Versailles ni Vézelay, mais dont l'anonymat révèle l'essence de l'âme parisienne. Nul mieux qu'**Aragon** ne l'a perçu, senti, exprimé.

De sa *"jeunesse rue de Vanves"*, de ce *"Quartier pauvre où je me promène"*, il se rappelle que *"Très tôt tes maisons s'aveuglaient/ Je m'enfonçais dans tes façades/ Les affiches des palissades/ Avaient des loques et des plaies"*.

Ce lieu, c'est la porte Didot : *"J'arrivais au chemin de fer/ Qui bordait la ville et la vie/ […] Les trains n'y passaient presque plus/ C'était un lieu d'herbe et de flâne/ Où dans l'ortie et le pas d'âne/ Des papiers ornaient les talus"*.

Et tandis que *"les bons enfants d'la rue de Vanves à la Gaîté"* (**Brassens**) quittent le faubourg pour les deux Montparnasse, **Aragon** nous prévient : *"Et vos certitudes précaires/ Rouleront comme des marrons/ De Montparnasse vers Plaisance/ Ou la porte de Châtillon"* parce qu'on a changé le nom des rues et qu'*"Il n'y a plus de rue de Vanves"*. Elle s'appelle Raymond-Losserand. Par une photo prise en automne, dans la chaîne des Poètes, **Aragon** rejoint **Verlaine** qui confessait : *"Les sanglots longs des violons de l'automne/ Blessent mon cœur d'une langueur monotone"*.

Il faut pourtant que Paris finisse par une chanson et le chemin de fer aussi. Elle est de **Charles Trenet** : *"Quand je revois ma petit' gare/ Où chaque train passait joyeux/ J'entends encore dans le tintamarre/ Des mots bizarres/ Des mots d'adieu"*. Cela se passait à Ménilmontant. En 1938.

Le XIVe, quant à lui, reste à double face, Montparnasse ou les fortifs, *Loulou de la vache noire* chanté par **Michèle Arnaud** ou le parc Montsouris croqué par **Brigitte Level** : *"Devant un lac des cygnes/ Sub tegmine fagi/ Le destin nous assigne/ Ce banc… vert paradis […] Et l'amour nous fait signe/ Et l'amour nous sourit,/ Devant le lac des cygnes/ Au Parc de Montsouris"*.

Un petit chemin de fer

Le décret de concession du chemin de fer de petite ceinture est signé le 10 décembre 1851. Un an plus tard, le 12 décembre, c'est l'ouverture du premier tronçon : Batignolles/La Chapelle. Le siège social du syndicat qui gère la petite ceinture est situé 112, rue Saint-Lazare jusqu'en 1890. Les autres tronçons sont mis en service en 1854 (La Chapelle/ Bercy), 1855, 1856 et 1862. Le premier service de voyageurs date de 1862. En 1865, c'est Point-du-Jour/Auteuil/Invalides, en vue de l'Exposition universelle de 1867. Lors de celle de 1878, la petite ceinture transporte cinq millions de voyageurs mais, après avoir bouclé le tour de Paris, son trafic de voyageurs est supprimé en 1931, à l'exception du tronçon Auteuil/Pont-Cardinet, aujourd'hui ligne du RER. Périodiquement, la réouverture de la ligne est envisagée, ce qui ne laisse pas d'inquiéter les riverains.

Les Tuileries

C'est un lieu de rendez-vous et **Jacques Brel** peut chanter : *"Et le premier baiser/ Volé aux Tuileries/ Et c'est Paris la chance"*.

C'est un lieu propice à la nostalgie des anciens rendez-vous et **Baudelaire** peut écrire : *"Andromaque, je pense à vous ! Ce petit fleuve,/ Pauvre et triste miroir où jadis resplendit/ L'immense majesté de vos douleurs de veuve,/ Ce Simoïs menteur qui par vos pleurs grandit,/ A fécondé soudain ma mémoire fertile,/ Comme je traversais le nouveau Carrousel./ Le vieux Paris n'est plus (la forme d'une ville/ Change plus vite, hélas ! que le cœur d'un mortel)"*. Il rappelle qu'aux Tuileries, il y eut des attractions foraines, comme aujourd'hui, ce qui tend à prouver que "rien ne se crée, rien ne se perd" : *"Je ne vois qu'en esprit tout ce camp de baraques,/ Ces tas de chapiteaux ébauchés et de fûts,/ Les herbes, les gros blocs verdis par l'eau des flaques,/ Et, brillant aux carreaux, le bric-à-brac confus./ Là s'étalait jadis une ménagerie;/ Là je vis, un matin, à l'heure où sous les cieux/ Froids et clairs le Travail s'éveille, où la voirie/ Pousse un sombre ouragan dans l'air silencieux,/ Un cygne qui s'était évadé de sa cage"* (Id.).

Gérard de Nerval saisit les Tuileries en leur saison froide : *"L'hiver a ses plaisirs et, souvent, le dimanche,/ Quand un peu de soleil jaunit la terre blanche,/ Avec une cousine on sort se promener.../ Et ne vous faites pas attendre pour dîner,/ Dit la mère. Et quand on a bien, aux Tuileries,/ Vu sous les arbres noirs les toilettes fleuries,/ La jeune fille a froid... et vous fait observer/ Que le brouillard du soir commence à se lever./ Et l'on revient, parlant du beau jour qu'on regrette,/ Qui s'est passé si vite... et de flamme discrète :/ Et l'on sent en rentrant, avec grand appétit,/ Du bas de l'escalier, le dindon qui rôtit"*. **Charles Trenet** a, aussi, indirectement, célébré les Tuileries. Dans *Le Jardin extraordinaire*, chanson qui se veut onirique puisque ce jardin est *"au cœur d'ma chanson"*, il écrit : *"On y voit aussi des statues/ Qui se tiennent tranquilles tout le jour, dit-on/ Mais moi je sais que, dès la nuit venue,/ Elles s'en vont danser sur le gazon"*. Et : *"Il y a des canards qui parlent anglais/ J'leur donne du pain/ Ils remuent leur derrière/ En disant : thank you, very much, Mr. Trenet"*.

D'anciennes tuileries

En 1332, trois fabriques de tuiles – des tuileries – se trouvaient à l'emplacement du futur palais des Tuileries. C'est en 1564 que Catherine de Médicis, après la mort d'Henri II (1559), décida de le construire, alignement d'ailes et de pavillons qui s'étendaient du nord au sud entre le pavillon de Marsan et le pavillon de Flore. Le palais fut incendié par la Commune en 1871 et rasé en 1882. Résidence intermittente du souverain aux XVIIe et XVIIIe siècles, et permanente au XIXe, les Tuileries furent le lieu de l'insurrection parisienne du 10 août 1792 durant laquelle les gardes suisses furent horriblement massacrés. Les plans des Tuileries sont conservés et auraient pu permettre une reconstruction à l'identique durant l'exécution du projet du Grand Louvre.

Les deux flèches

"Paris mais c'est la tour Eiffel/ Avec sa pointe qui monte au ciel/ Qu'on la trouv' laide, qu'on la trouv' belle/ Y a pas de Paris sans tour Eiffel". En écrivant ces paroles, en 1945, **Michel Emer** mettait un terme aux polémiques. Les poètes ne furent pas toujours favorables à la tour, mais **Raoul Ponchon**, se parlant à lui-même, était obligé de constater que *"Tu ne peux faire halte/ Ailleurs que sur l'asphalte/ Il n'est pour toile de ciel/ Que celui qui voisine/ Avec cette machine/ Dite la tour Eiffel"*.

Le salut vint du cinéma, du théâtre et de la peinture : *Paris qui dort* (1923), où **René Clair** imagine un Paris endormi par un gaz mystérieux et seuls restent éveillés ses visiteurs matinaux ; *Les Mariés de la tour Eiffel* de **Jean Cocteau** ; et l'on remplirait une salle avec les tableaux de **Delaunay** consacrés à la dame de fer.

Puis vint **Jean Giraudoux** et sa *Prière sur la tour Eiffel*. C'est grâce au point de vue qu'il célèbre la ville : *"Paris exerce le pur métier de Paris"* et, de chaque *"décimètre carré où, le jour de sa mort, coula le sang de Molière"*, il voit *"le printemps entourer Paris"*.

Dans l'axe se dresse l'obélisque. **Guy Béart**, qui est un garnement, y voit tout de suite un symbole, et il le chante : *"Depuis maintes maintes lunes/ La lune ne venait plus voir/ Voir l'obélisque"*. Que croyez-vous qu'il arriva ? L'obélisque s'est couché : *"En pleine Concorde/ En pleine discorde"*.

Théophile Gautier, hostile au déracinement de l'obélisque et à son installation à Paris, le fit savoir : *"Sur cette place je m'ennuie,/ Obélisque dépareillé ;/ Neige, givre, bruine et pluie/ Glacent mon flanc déjà rouillé"*. Il est plus divertissant de chanter, avec **Charles Trenet** : *"Y a d'la joie, la tour Eiffel part en balade/ Comme un' folle ell' saute la Seine à pieds joints/ Puis elle dit : "Tant pis pour moi si j'suis malade/ J'm'ennuyais tout' seul' dans mon coin !"*

Derrière le lion, par-delà les deux flèches, au-dessus de tout, trône, resplendit le *"Ciel de Paris/ Ô Ciel le plus léger du monde/ Ciel de Paris/ On n'a pas besoin d'avoir honte/ Ciel de Paris/ D'avoir les larmes aux yeux qui montent/ En te voyant, en te voyant/ Tout simplement/ Ciel de Paris"* (**Pierre Dudan**) ; *"Sous le ciel de Paris,/ Les oiseaux du bon Dieu/ Viennent du monde entier/ Pour bavarder entre eux"* (**Jean Dréjac**).

La tour Eiffel et l'obélisque

Le monument le plus célèbre de Paris – quoi qu'on en dise – reste la tour Eiffel sur laquelle on a tout dit. Edifiée en deux ans par Gustave Eiffel, à l'occasion de l'Exposition universelle de 1889, pour le Centenaire de la Révolution française, elle eut, contre son érection, François Coppée, Alexandre Dumas fils, Guy de Maupassant, Sully Prudhomme, Charles Garnier, etc., signataires d'un texte célèbre. En 1831, le vice-roi d'Egypte Méhémet Ali offrit à la France les deux obélisques du temple de Louxor à Thèbes, édifice dédié à Amon par Aménophis III et Ramsès II. Louis-Philippe choisit la place de la Concorde pour en faire ériger un parce qu'il "ne rappelle aucun événement politique". Henri Heine écrit : "L'obélisque s'élevait, jadis, à l'entrée d'une allée de colonnes énormément larges et ornées de chapiteaux de lotus qui mène au temple de Louxor [...] Un semblable ouvrage convenait bien mieux à l'obélisque que celui dont on a gratifié la place Louis XV". En 1980, la France a officiellement renoncé à ses droits sur le second obélisque.

Opéra

Les adultes ne se consolent jamais de l'inexistence du Père Noël; les lecteurs de **Gaston Leroux** ne se consolent pas de l'inexistence du *Fantôme de l'Opéra*. Passer rue Scribe, et savoir que, sous le bâtiment, il n'est nul lac souterrain, nulle cachette, nul fantôme et, partant, nulle vengeance, est désespérant.

L'Opéra, dont la noble tâche est avant tout de faire rêver, stimule l'imagination. **Alphonse Allais** imagine donc *Le Vol du grand escalier de l'Opéra*. Le directeur, faisant *"sa petite inspection matinale d'usage dans son coquet établissement"* s'aperçoit de la disparition : *"Le grand escalier de l'Opéra/ N'était plus là"*. Il redoute d'être accusé *"d'avoir mal surveillé/ Notre grand escalier"*. Finalement, la police démembre une bande de voleurs d'escaliers, dirigée par un certain **Buissonnière**, dont le père a fondé l'école du même nom. Le chef des voleurs explique qu'il en avait assez des escaliers dérobés, étroits et tortueux et qu'il s'est emparé d'un escalier *"remplissant de meilleures conditions de luxe et de sécurité"*.

André Breton y pose SA condition : *"Si dans le fond de l'Opéra deux seins miroitants et clairs/ Composaient pour le mot amour la plus merveilleuse lettrine vivante"* et **Aragon** y avoue au grand jour : *"Dans l'Opéra paré d'opales et de pleurs/ L'orchestre au grand complet contrefait mes sanglots"*.

La chanson populaire n'est pas en reste : *"Si tu passes/ Sur la place de l'Opéra/ A gauche, à droit', derrière, en face/ Prends garde qu'on ne t'écrase pas/ Oui, prends garde/ Et regarde/ L'agent qui, sur son cheval,/ Va donner le signal/ A c'moment n'hésit' pas/ Si tu passes/ Sur la place/ Sur la place de l'Opéra"* conseille **Rodor** en 1930.

Le quartier de l'Opéra est celui qui évoque le mieux ce que fut le Paris de la Belle Epoque. Par le boulevard des Capucines, peint avec charme par **Jean Béraud**, on peut gagner la rue Godot-de-Mauroy qui fait croire à quelques étourdis qu'*En attendant Godot* est d'**André Maurois** et non de **Beckett**.

Un autre peintre, **Edouard Detaille**, a peint le grand escalier le jour de l'inauguration, en 1875. Le tableau est au château de Versailles. Et qu'on nous pardonne, *"Mais n'a-t-on pas baptisé "opéra"/ Un délicieux gâteau au chocolat ?"* (**Alain Paucard**).

L'Opéra Garnier

Il convient de dire l'Opéra Garnier – du nom de son architecte, Charles Garnier – depuis qu'un autre opéra a été construit place de la Bastille. Longtemps l'Opéra de Paris fut nomade puisqu'il connut douze emplacements successifs depuis sa création en 1669, notamment la salle de la rue de Richelieu, abandonnée en 1820 à cause de l'assassinat dans le lieu du duc de Berry, et la salle de la rue Le Peletier, qui vit l'attentat d'Orsini contre Napoléon III. L'Opéra Garnier fut construit de 1861 à 1875, ce qui permit, dans le cadre des travaux impulsés par Haussmann, la création de la place de l'Opéra (1862-1864) et de l'avenue de l'Opéra (1864-1876). Ses dimensions : 11 000 m² de surface, 27 mètres de long. La scène a 27 mètres de profondeur et 48 de large. Sa capacité : deux mille spectateurs plus deux cents qui ne voient rien.

Place Vendôme

Le quartier de la place Vendôme, *"c'est, l'après-midi, une procession de petits pieds grassouillets, nerveux, mutins, impertinents, mystérieux, jolis comme des nains, un claquement de talons hautains, un frou-frou de soie, un gazouillis de bijoux froissés, une tempête de jupons tenus à plein poing, un fin vacarme de portières armoriées, une procession de chapeaux, de jupes et d'ombrelles à ravir un peintre moderne, épris du seul parisianisme, à tenir en haleine pendant des heures Chérubin, c'est-à-dire le petit pâtissier blanc et bleu, venu du fond de la rue Saint-Honoré"* (**Germain Nouveau**). Cet univers de petits trottins, de midinettes, qui travaillent dans la couture, ces "petites mains", le parolier **Henri Contet**, en 1948, leur écrit une ode : *"On l'appell' Mad'moiselle de Paris/ Et sa vie c'est un p'tit peu la nôtre/ Son royaum' c'est la rue d'Rivoli/ Son destin c'est d'habiller les autres/ […] Elle donn' tout le talent qu'elle a/ Pour faire un bal à l'Opéra"*.

La place Vendôme est au centre de Paris, aussi *"Lorsqu'on nous demande ce que c'est : Paris/ On répond toujours l'Etoil' les Tuileries"* (**Michel Emer**) ou, mieux encore, *"Ces pierres tremblent de la même maladie/ Dont tu vois onduler comme un bâton dans l'eau/ L'Obélisque et le jour, la colonne Vendôme,/ Tes certitudes, l'Arc de Triomphe et toute âme"* (**Marcel Thiry**). On se donne rendez-vous aux Tuileries : *"Mais, j'y pense, jadis, si je me souviens bien/ Déjà, vers tes vingt ans, tu t'enfonçais/ Sous les arbres mouillés et noirs des Tuileries/ […] En attendant que vienne l'heure/ D'embrasser ton aimée,/ Ton amoureuse aux jeunes seins, aux frais regards,/ A la sortie des Magasins du Louvre"* (**Luc Decaunes**), mais on n'offre pas à l'aimée les bijoux vendus place Vendôme, et l'on se console avec les bijoux de **Baudelaire** : *"La très chère était nue, et, connaissant mon cœur,/ Elle n'avait gardé que ses bijoux sonores,/ Dont le riche attirail lui donnait l'air vainqueur/ Qu'ont dans leurs jours heureux les esclaves des Mores./ Quand il jette en dansant son bruit vide et moqueur,/ Ce monde rayonnant de métal et de pierre/ Me ravit en extase, et j'aime à la fureur/ Les choses où le son se mêle à la lumière"*, tandis que *"Tes yeux, où rien ne se révèle/ De doux ni d'amer,/ Sont deux bijoux froids où se mêle/ L'or avec le fer"*.

La place Vendôme rayonne autour de quartiers exemplaires, peu cités dans les listes muséographiques, mais représentatifs au plus haut point de ce qu'est Paris. Ainsi **Restif de La Bretonne** (et de Paris), écrit-il : *"J'allais dans le quartier qui est comme la quintessence de l'urbanité française. Ce n'est pas la Cour, mais il vaut peut-être beaucoup mieux; car il a un ton souvent meilleur; il corrige la Cour elle-même; il lui porte la loi impérieuse de l'usage national, et la force de s'y conformer. Il la siffle, si elle ne lui plaît pas, et la force à changer. Ce quartier qui est comme le cerveau de la capitale, c'est la rue Saint-Honoré unie au Palais-Royal. La rue Saint-Honoré ne paraît composée que de marchands : mais il est une infinité de gens de goût dans les étages supérieurs, et surtout dans les rues adjacentes. Il est même des étrangers qui ne vivent que là, sans y demeurer"*. A-t-il la prémonition des clients des hôtels de luxe ?

Dans le même ouvrage, *Les Nuits de Paris*, **Restif**, dans la cent deuxième nuit, fait *"une excursion jusqu'aux Tuileries"*.

"Une jeune personne charmante se trouvait au bas de la terrasse des Feuillants. Un fat la regarde et la trouve jolie".

Ce fat rameute d'autres fats, comme pour aller à un spectacle : *"Ils redoublèrent alors d'effronterie; s'arrêtèrent, la fixèrent. Le public étonné cherchait des yeux. On voyait un objet charmant; on le considéra. Tout le monde voulut voir, et ne vit rien. On se presse; on s'étouffe; les promeneurs et les promeneuses accourent de tous les coins du jardin et la jeune personne fut exposée à être suffoquée parce qu'un fat l'avait trouvée jolie. Elle fut obligée pour se garantir de s'accoter à un arbre. Son père, qui paraissait être un ancien officier, repoussait avec peine les importuns; il fut obligé de mettre l'épée à la main, pour se faire passage et sortir. Sa figure vénérable, les expressions polies qu'il avait d'abord employées, pour obtenir la liberté de se retirer, tout avait été inutile. On dit que dans un mouvement douloureux, voyant sa vie et celle de sa fille exposées, il s'écria : "Ô Français, Français! vous êtes plus cruels que des sauvages! Ils ont respecté ma fille parce qu'elle était belle!". Il sortit enfin, à l'aide des Suisses, par la terrasse des Feuillants"*.

Le bronze de mille deux cents canons

La création de la place Vendôme fut décidée par arrêt du Conseil du 2 mai 1686. Louis XIV ordonna à Louvois d'ouvrir, à l'emplacement de l'hôtel de Vendôme, une grande place pour "la décoration de Paris et la facilité de la circulation à l'ouest de la ville". La statue équestre de Louis XIV, au centre, fut détruite le 16 août 1792. Napoléon, pour honorer la Grande Armée après la victoire d'Austerlitz (1805), fit ériger une colonne avec le bronze de mille deux cents canons pris à l'ennemi. Le poids total fut de plus de deux cent cinquante tonnes. En 1814, les Russes tentèrent, sans succès, de la renverser, mais, en 1871, les Communards y parvinrent. Le peintre Gustave Courbet, jugé – à tort – responsable, dut en payer le remontage en 1873.

De la Bourse

Dans une nouvelle d'**Alphonse Allais**, *Le Drame d'hier*, deux omnibus se croisent. Les passagers de l'impériale se dévisagent, s'apostrophent, puis, tels des pirates, montent à l'abordage de chacun des vaisseaux urbains. Cela se déroule non loin de la Bourse, à Richelieu-Drouot, mais cela aurait pu se passer devant.

La rue du Quatre-Septembre est un large corridor qui part de la place de l'Opéra, là où vient mourir la rue de la Paix, la *"rue la plus "sérieuse" de Paris"* (**Germain Nouveau**). *"Des boutiques de fleurs, de bijoutiers, d'objets d'art. Des hôtels somptueux, aux belles fenêtres ornées de vitres polies comme le petit ongle des marquises, aux cours fraîches, fleuries, ensoleillées, au vestibule sonore"* (Id.). **Marcel Thiry**, inondé, note : *"Triste ; toutes les rues de la Paix sont noyées ;/ On lit encor les noms de Paix et de Paquin/ Ondulant par lambeaux dans l'eau lourde, où ondule/ Quelque fantôme aussi de colonne Vendôme"*, donnant ainsi la date du poème, celle de l'inondation.

La rue du Quatre-Septembre commence par une explication historique concise, comme l'a si joliment fait remarquer **Frédéric Dutourd**, puisque *"le 4 septembre mène à la Bourse"*.

Mais la rue du Quatre-Septembre distribue les rues et les passages voisins comme l'on distribue les cartes : *"Dans la rue Vivienne le vampire s'approche de l'adolescent/ qu'il aborda sous le porche de l'hôtel de Beaujolais/ A minuit la Bourse gloutonne encore son sang/ La cloche effare dans l'herbe de ses rêveries/ la femme au ventre creux"* écrit **André Frénaud**.

Et la rue se donne un autre nom, Réaumur, de cet entomologiste qui nous laissa des *Mémoires pour servir à l'histoire des insectes*. Sont-ce les fourmis qui se pressent autour du "Temple du capitalisme"? Ou les bestioles qui pullulaient aux Halles, auxquelles on accédait par la rue Montorgueil : *"Nous ne saurions nous en dédire,/ Il faut passer par ce marché"* (**Claude Le Petit**)?

Et la rue Réaumur atteint le boulevard Sébastopol, le Sébasto, le Topol, là où se trouvait *"un p'tit bal du Sébasto-ô-ô-ô"* où **Jean Gabin** voulait emmener guincher *"Fifine"*. Aujourd'hui, où *"l'argent est roi"* et les transactions *"virtuelles"*, le palais Brongniart a quelque chose de rassurant et même – convenons-en – du terroir.

Le Palais Brongniart

C'est Napoléon qui décide, en 1808, de faire construire un "Palais impérial de la Bourse". Il veut un monument à l'antique, sur une aire dégagée. Alexandre Brongniart le dessine, puis Eloi Labarre, assisté d'Hippolyte Lebas, l'édifie entre 1813 et 1826. Victor Hugo pourra s'exclamer : "Le Palais de la Bourse qui est grec par sa colonnade, romain par le plein cintre de ses portes et fenêtres, de la Renaissance par sa grande voûte surbaissée, est indubitablement un monument très correct et très pur [...] On ne saurait trop s'émerveiller d'un monument qui peut être indifféremment un palais de roi, une chambre des communes, un hôtel de ville, un collège, un manège, une académie, un entrepôt, un tribunal, un musée, une caserne, un sépulcre, un temple, un théâtre". *En attendant, le palais de la Bourse, décoré en 1851-1852, agrandi en 1902-1907, reste le symbole – honni ou admiré – du "capitalisme".*

Un palais royal

Cocteau donne le ton : *"Et le Palais-Royal vidé de Thermidor/ Son silence hanté de lanternes bleuâtres/ Allait venait dans l'ombre entre ses deux théâtres".* **Charles Nodier**, mort en 1844, regrettait et nous fait regretter, des places disparues :

"Nous ne pourrions plus vous montrer aujourd'hui, dans le jardin du Palais-Royal, une foule d'objets que l'histoire nous rappelle […].

Vous ne verrez plus dans le jardin du Palais-Royal ce petit bassin, où se laissa tomber Louis XIV enfant […].

Vous ne verrez plus ce fameux balcon, dessiné par Lemercier, sur lequel Anne d'Autriche aimait à respirer l'air de ses jardins, et dont la balustrade, exécutée par maître Etienne de Nevers, serrurier ordinaire des bâtiments du roi, "était ciselée, dit Sauval, avec plus de tendresse, de mignardise et de patience, que ne pourrait être travaillé l'argent par les plus habiles orfèvres".

Vous ne verrez plus ce cirque qui occupait la place du bassin actuel et de ses deux parterres, mais que les vieillards ont encore vu, car, ce n'est qu'à la fin du dernier siècle qu'il fut dévoré par un incendie. Pour que cette construction ne masquât point le coup d'œil, on lui avait donné beaucoup plus de profondeur dans le sol que d'élévation au-dessus, de sorte qu'on y entrait de plain-pied par le paradis, et qu'on descendait trois étages pour arriver aux premières.

Vous ne verrez plus cette superbe allée de marronniers, plantée par Richelieu, où le cardinal médita peut-être, souvent dans la même matinée, le plan d'une tragédie, le siège d'une ville et un billet galant à Marion Delorme. Ces marronniers, propices au mystère, n'auraient été que trop favorables à une des destinations historiques du jardin du Palais-Royal.

Vous ne verrez plus l'arbre de Cracovie, quartier général de ces nouvellistes désœuvrés, dont le fatal besoin d'émotions changea depuis la face du monde.

On ne vous montrera plus l'endroit où l'abbé Trente-mille-hommes décidait de la paix et de la guerre, à l'insu de la diplomatie et des rois.

Mais si vous vous arrêtez dans l'allée qui borde la gauche du jardin, auprès du café Foy, vous êtes sur la place même où le fougueux Camille Desmoulins détacha quelques feuilles d'arbres, le 12 juillet 1789, pour en faire le signe de ralliement d'une insurrection qui devait bouleverser la terre.

Et si vous êtes curieux de savoir comment les adeptes de la philosophie révolutionnaire entendaient leur sublime ouvrage, vous n'êtes pas loin de la place où ces fervents apôtres de la tolérance brûlèrent, le 6 août 1791, le mannequin du pape, sa crosse, sa mitre et sa croix".

C'est au Palais que se trouvait la banque de la Révolution : *"Pour l'argent, on puise dans la caisse du duc d'Orléans, et l'on y puise abondamment : à sa mort, sur 114 millions de biens, il avait 74 millions de dettes"* révèle **Hippolyte Taine**. Et celui qui fait la distribution, c'est **Choderlos de Laclos**, *"Machiavel subalterne, homme à tout faire, profond, dépravé […] dans la politique comme dans le roman, il a pour département Les Liaisons dangereuses"* (Id.).

Il n'empêche que le Palais-Royal a conservé plus que des restes et qu'ils sont magnifiques. Il est peuplé de fantômes, de **Restif de La Bretonne** à… **Jean Sablon** et son aspect, son caractère de labyrinthe, n'est pas son moindre charme. **Paul Léautaud**, qui y a beaucoup flâné, rapporte que **Colette** déménagea d'Auteuil pour le Palais-Royal par souci d'économie : *"Boulevard Suchet, il lui fallait trois domestiques. Rue Montpensier, une femme de ménage suffit".*

Léautaud, encore, lit dans *Paris-Soir* du 4 avril 1929 : *"On vantait devant Paul Léautaud les agréments du Palais-Royal, la quiétude de ses arcades, la sérénité de son ciel quadrangulaire et la douceur de cet îlot préservé de toute circulation de véhicules. Je ne dis pas non, finit par concéder l'auteur du Petit Ami, mais ce serait bien mieux s'il n'y avait pas tous ces enfants…"* sans être sûr d'avoir prononcé cela, mais la description du lieu est digne de sa concision.

Léon-Paul Fargue tient sa place d'admirateur du lieu et utilise, à son habitude, un éclairage nouveau : *"L'illusion de se trouver dans quelque coin de province, et particulièrement dans une station thermale, est si forte que […] on découvre au Jardin du Palais-Royal […] un calme, une espèce de régularité chez le promeneur qui ne peuvent être que de Pougues ou d'Uriage".*

Un séjour enchanté

"L'histoire de ce palais qui, tour à tour, abrita le génie, la débauche, la piété, le talent, est plein de contrastes piquants et bizarres" *nous disent Félix et Louis Lazare. Et Louis-Sébastien Mercier écrit que* "c'est un point unique sur le globe. Visitez Londres, Amsterdam, Madrid, Vienne, vous ne verrez rien de pareil […] On l'appelle la capitale de Paris. Tout s'y trouve […] Ce séjour enchanté est une petite ville luxueuse, renfermée dans une grande". *Il fut édifié dans les années 1630 pour Richelieu, sous la régence d'Anne d'Autriche, mais, comme nombre d'ouvrages d'art, il faut attendre le règne de Louis-Philippe pour que l'architecte Fontaine lui donne son aspect quasi définitif, même si, récemment, des ajouts contestables y ont été faits.*

Fontaine des Innocents

"*En passant à gauche du marché aux poissons, où l'animation ne commence que de cinq à six heures, moment de la vente à la criée, nous avons remarqué une foule d'hommes en blouse, en chapeau rond et en manteau, blanc rayé de noir, couchés sur des sacs de haricots... Quelques-uns se chauffaient autour de feux comme ceux que font les soldats qui campent, d'autres allumaient des foyers intérieurs dans les cabarets voisins*". Ainsi **Gérard de Nerval** décrit-il un lieu qui a, pour le moins, bien changé mais qui prouve que dans les villes, aussi, "*rien ne se crée, rien ne se perd*". "*Sous les colonnes du marché aux pommes de terre, des femmes matinales, ou bien tardives, épluchaient leurs denrées à la lueur des lanternes. Il y en avait des jolies qui travaillaient sous l'œil des mères en chantant de vieilles chansons. Ces dames sont souvent plus riches qu'il en semble et la fortune même n'interrompt pas leur rude labeur*", poursuit-il, puis, désignant une "*longue ligne de maisons régulières qui bordent la partie du marché consacrée aux choux*", il se fait expliquer que ce sont des "*charniers*", où "*des poètes en habit de soie, épée et manchettes venaient souper au siècle dernier, les jours où leur manquaient les invitations au grand monde [...] Ces temps sont passés. Les caves de charniers sont aujourd'hui restaurées, éclairées au gaz, la consommation y est propre et il est défendu d'y dormir, soit sur les tables, soit dessous ; mais que de choix, dans cette rue !... La rue parallèle de la Ferronnerie est également remplie, et le cloître voisin de Sainte-Opportune en présente de véritables montagnes. La carotte et le navet appartiennent au même département*".

Tandis qu'**Aragon** remonte plus loin encore : "*Par le square aux dormeurs debout/ Un instant de fatigue chôme/ Dans le petit soleil absent/ Pourquoi ce temple renaissant/ Alexandrie, Rome ou Athènes/ De deux charniers des Innocents/ Il n'est resté qu'une fontaine*", que **Prévert** se vante : "*Oui/ quinze femmes je vous le dis comme c'est/ m'attendent chaque nuit à la Fontaine des Innocents*", comment ne pas évoquer "*Clopin Trouillefou, roi de Thunes, successeur du grand coësre, suzerain suprême du royaume de l'argot*", tel qu'il se présentait dans *Notre-Dame de Paris*, et qui vivait dans la "*cour des Miracles*", non loin de l'actuelle – mais très ancienne – rue de la Grande-Truanderie ?

Le ventre de Paris

La fontaine des Innocents, appelée également fontaine des Saints-Innocents, a d'abord été un décor périssable dressé à l'occasion de l'entrée d'Henri II à Paris en 1549. Elle se dressait à l'angle de l'actuelle rue Berger (ancienne rue aux Fers) et de la rue Saint-Denis, traditionnel chemin royal. Il n'en reste pas moins que la fontaine, attribuée à Jean Goujon, mais aussi à Pierre Lescot, a été édifiée non loin de l'ancien charnier des Innocents, très ancien cimetière. En 1514, on pouvait y lire cette épitaphe : "Ci-gît Yolande Bailly/ Qui trépassa l'an 1514, la 82e année de son âge/ Et la 42e de son veuvage, laquelle a vu ou pu voir :/ Deux cent quatre-vingt treize enfants issus d'elle !"

Place des Vosges

C'était en 1800, un peu avant que les écoliers n'apprennent les départements par cœur. L'un des départements s'était montré si pressé de remettre le bon devoir de ses impôts et de les payer avant les autres qu'il en avait été récompensé. On lui avait donné la place Royale qui était devenue instantanément la place des Vosges. Elle remontait à l'aube du XVIIe siècle, avait toujours séduit les artistes, et les plus grands architectes (**Le Brun**, **Le Vau**, **Mansart**, etc.) avaient apporté leur pierre. **Victor Hugo** vécut au 6, de 1832 à 1848. Un des derniers dandys, **Jean-Edern Hallier**, habita la place jusqu'en 1993. La maison de **Victor Hugo** est maintenant son musée où le plus inattendu est sa remarquable œuvre picturale.

"Tout jeune, j'ai compris ce que c'était que la splendeur du Marais" proclame **Léon-Paul Fargue**, qui ajoute : *"Il faudrait des volumes et des bibliothèques pour raconter l'histoire du Marais, si profondément français par toutes ses pierres, si mêlé aux caprices de l'Histoire que l'oubli des hommes et les progrès de l'urbanisme n'y ont porté aucune atteinte"*. Aucune atteinte ? Voire ! **Apollinaire** a décrit le triste état de certains hôtels particuliers, situation qui dura jusqu'aux années quatre-vingt du XXe siècle : *"L'inconnu s'arrêta un moment devant une maison à vendre/ Maison abandonnée/ Aux vitres brisées/ C'est un logis du seizième siècle/ La cour sert de remise à des voitures de livraisons"*.

Quartier historique par définition, *"C'est quand jadis le roi s'en allait à Vincennes/ Quand les ambassadeurs arrivaient à Paris/ Quand le maigre Suger se hâtait vers la Seine/ Quand l'émeute mourait autour de Saint-Merry"* (Id.). Le Marais séduit la part d'ombre de **Robert Desnos** : *"Au coin de la rue de la Verrerie/ Et de la rue Saint-Martin/ Il y a un marchand de mélasse"*, sans oublier que *"Du cloître Saint-Merri naissaient des rumeurs./ Le sang coulait dans les ruisseaux"* et que le lycée *"Charlemagne rougeoyait"* (Id.).

"Tout serait donc mort de ce passé, fragile, unique, inconcevable ? Non. Parfois de quelque vieil hôtel de la rue du Pas-de-la-Mule, de la rue Geoffroy-l'Asnier ou de la rue Barbette, sort un vieil aristocrate rabougri, sorte de capitaine Fracasse", conclut **Léon-Paul Fargue**.

Place Royale

La place Royale a été créée sur l'emplacement de l'hôtel royal des Tournelles. Après la mort accidentelle d'Henri II dans un tournoi, l'hôtel fut d'abord abandonné, puis détruit et remplacé par un marché aux chevaux. Henri IV voulut y faire construire une filature, mais l'affaire échoua. Dans le cadre de l'embellissement et de l'agrandissement de Paris, le roi en fit une place ordonnancée, centre du quartier aristocratique du Marais. Dès 1605, des lotissements furent vendus à des particuliers à condition d'y élever des pavillons identiques. La place fut inaugurée en 1612 à l'occasion des mariages de Louis XIII et d'Anne d'Autriche et de la sœur du roi avec le futur roi d'Espagne, Philippe IV. A l'exception de la statue de Louis XIII, qui a remplacé la statue de Richelieu détruite pendant la Révolution, la place n'a pas changé.

Grands Boulevards

"Il peut pleuvoir sur les trottoirs/ Des Grands Boulevards/ Moi je m'en fiche/ J'ai ma mie auprès de moi" chante **Jacques Brel**, qui insiste : *"Aux flaques d'eau qui brillent/ Sous les jambes des filles/ Aux néons étincelants/ Qui lancent à l'envi/ Leurs postillons de pluie/ Je crie en rigolant :/ Il peut pleuvoir…"*

Le décor est bien planté encore qu'il y manque les personnages : *"J'aim' les baraques et les bazars/ Les étalages, les loteries et leurs camelots bavards/ Qui vous débitent des bobards/ […] Y a les cafés et leurs comptoirs/ Et puis les terrasses où des p'tit's femmes se prélassent"* écrit **Jacques Plante** pour **Yves Montand** et quelques autres.

Il y a encore d'autres lieux, d'autres personnages : *"Sur l'boulevard Poissonnière/ Je rencontre deux jeun's gens/ Tout maquillés ma chère/ Et qui parlaient drôlement"* chante **Georgius** avec un clin d'œil exceptionnellement appuyé, tandis que **Fernandel** a une bonne adresse et une bonne fortune : *"Afin de séduire la p'tite chatte/ Je l'emmenais dîner chez Chartier/ Comme elle est fine et délicate/ Elle prit un pied d'cochon grillé"*, puis *"L'aramon lui tournant la tête/ Elle murmura/ Quand tu voudras/ Alors j'emmenais ma conquête/ Dans un hôtel tout près de là/ C'était l'hôtel d'Abyssinie et du Calvados réunis"*. **Montand** est plus sentimental : *"Quand j'ai une gosse à bécoter. L'passage Brady est très utile/ C'est chaud l'hiver et frais l'été/ C'est calme et c'est tranquille"*.

Trenet, qui revient d'un long voyage, n'est pas en reste : *"Revoir Paris/ Un p'tit séjour d'un mois"* et où reprend-il contact ? *"Seul sous la pluie, parmi la foule des Grands Boulevards/ Quelle joie inouïe d'aller ainsi au hasard"*. Le principal, c'est de chanter avec **Montand** : *"J'aime flâner sur les grands boul'vards/ Y a tant de choses, tant de choses, tant de choses à voir/ On n'a qu'à choisir par hasard/ On s'fait des ampoules/ A zigzaguer parmi la foule"*.

Le promeneur nostalgique se souvient alors de tous les cinémas, de tous les music-halls, de tous les théâtres morts au champ de déshonneur des destructions survenues entre la République et la Madeleine, de l'Alhambra-Maurice-Chevalier à l'ABC, en passant par l'Ambigu.

Le Cours nouveau

Louis XIV, ayant constaté l'état de délabrement des remparts, ordonna, le 17 mars 1671, la construction d'un nouveau "rempart planté d'arbres depuis la porte Saint-Antoine jusques à celle de Saint-Denis". Ces boulevards plantés vont être nommés le Cours nouveau. *Cependant, cette promenade ne fut pavée qu'après un arrêt du 10 avril 1772. Petit à petit, nous disent Louis et Félix Lazare, "s'est improvisée cette splendide promenade qu'on appelle les boulevards intérieurs […] les boulevards du nord qui ne forment qu'une seule et même ligne de la Bastille à la Madeleine […] leur longueur totale est de 4 502 mètres". Les boulevards évoquent les plaisirs du théâtre et du music-hall, puis du cinéma, y compris entre la Bastille et la République, partie surnommée le boulevard du Crime et évoquée dans le film* Les Enfants du paradis. *L'apothéose des Grands Boulevards se situe à la Belle Epoque.*

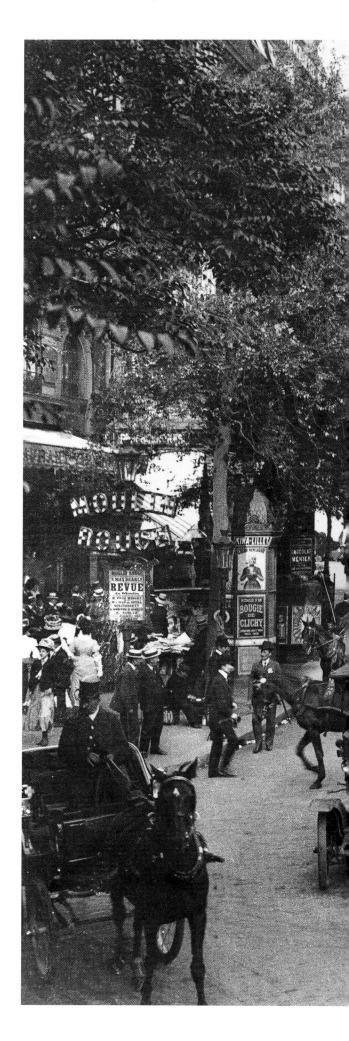

Passages

"Dans le passage des Princes/ Elle dit : "Faut qu' tu m'rinces"/ Dans le passage Jouffroy/ Je pris un air froid/ Dans le passage Verdeau/ Je lui fis un cadeau/ Dans le passage Vivienne/ Elle dit : "J'suis de la Vienne"/ J'devais retrouver la donzelle/ Passage Bonne Nouvelle/ Mais en vain je l'attendis/ Passage Brady" écrit **Narcisse Lebeau**, chansonnier montmartrois tenu en moyenne estime, mais pourtant cité avec délices par **Léon-Paul Fargue** dans *Le Piéton de Paris*.

Ils y sont presque tous, ces passages que **Littré** a définis : *"A Paris et dans quelques grandes villes, galerie couverte où ne passent que des piétons"*. Mais ceux qui nous intéressent partent de la rue du Faubourg-Montmartre, à l'angle de la rue de Provence, traversent les Grands Boulevards et vont presque mourir non loin de la jolie rue des Colonnes, avant de renaître, en traversant la rue du Quatre-Septembre, dans le passage Choiseul, à moins de deux cents mètres du Palais-Royal.

Aragon connut le passage de l'Opéra, près du boulevard des Italiens et qui s'élargissait en rue Chauchat, elle-même croisant la rue Rossini. Le percement complet du boulevard Haussmann le fit disparaître en 1927. De ces passages, il écrit : *"La lumière moderne de l'insolite […] règne bizarrement dans ces sortes de galeries couvertes qui sont nombreuses à Paris aux alentours des grands boulevards et que l'on nomme d'une façon troublante des passages, comme si dans ces couloirs dérobés au jour, il n'était permis à personne de s'arrêter plus d'un instant. Lueur glauque, en quelque manière abyssale, qui tient de la clarté soudaine sous une jupe qu'on relève d'une jambe qui se découvre"*.

Aragon s'emballe : *"Je suis le passage de l'ombre à la lumière, je suis du même coup l'Occident et l'aurore. Je suis une limite, un trait…"*. Prenant de l'ampleur, s'envolant en quelque sorte au-dessus du quartier des Grands Boulevards, il écrit : *"Dans le boucan des chevaux, avec les grincements des roues sur les pierres, le panorama des maisons tatouées de commerce déroulait pour Pierre sa kermesse. Les cafés éclairés regorgeaient déjà de monde. De l'impériale, tout avait l'air d'une sorte de chamarrure, tout faisait décor impressionniste, on était en plein Monet"*. Mais **Alphonse Allais**, jamais en reste, peut demander à une belle d'être *"pas sage sous tes reins"*.

Un cénacle romantique

Le passage le plus ancien est le passage des Panoramas, ouvert en 1782 par le duc de Montmorency pour assurer une sortie à son hôtel particulier. Au 31, naquit La Malibran, cantatrice et tragédienne. Le passage Choiseul a été ouvert en 1825. Son entrée, à hauteur du 23, est celle d'un hôtel de la fin du XVIIIe siècle. Les galeries Colbert et Vivienne datent de 1825 et 1828. Vidocq, ancien forçat et chef de la Sûreté, y vécut au 13, en 1840. Le passage Jouffroy, créé en 1847, est prolongé l'année suivante en passage Verdeau où, au 10, se tint un cénacle romantique. On y vit Hugo, Musset, Sainte-Beuve, Arvers, Arago, etc.

Entre Pigalle et Blanche

"J'ai trouvé, me disait récemment un Anglais, pourquoi les Parisiens ne voyageaient jamais : ils avaient Montmartre", rapporte **Léon-Paul Fargue**.

Dans le film *Pépé le Moko*, une Parisienne exilée dans la Casbah d'Alger, interprétée par **Fréhel**, confie en musique : *"Où est-il mon moulin d'la place Blanche,/ Mon tabac et mon bistrot du coin,/ Tous les jours pour moi étaient dimanche,/ Où sont-ils les amis, les copains ?/ Où sont-ils tous mes vieux bals musettes/ Leurs javas au son d'l'accordéon ?"*

Plus tard, dans les années cinquante, **Philippe Clay** chante : *"Elles ont perdu leurs illusions entre Pigalle et Blanche"*, ce qui finit ainsi : *"Sous le métro de la Chapelle,/ Près des garnis à vingt-cinq sous,/ C'est toujours lui, cet homme saoul,/ Qui bat les murs et qui appelle/ On ne sait qui, d'on ne sait où"* (**Francis Carco**).

Avec **André Salmon**, revenons au point de départ : *"Ô place Clichy/ Ô square d'Anvers/ Jeux réfléchis/ Du monde à l'envers"*. Continuons avec **Mouloudji** : *"Garçons de la rue Blanche/ Roses éblouies des quartiers de la nuit/ [...] Sur l'avenue qui rêve/ Près du pudique cimetière"*, avenue Rachel, où dînaient les surréalistes.

Place Pigalle, le métier reprend ses droits : *"Quand on voit passer l'grand Prosper/ Sur la plac' Pigalle/ Avec son beau p'tit chapeau vert/ Et sa martingale [...] Pas besoin d'être bachelier/ Pour deviner son métier"* chante **Maurice Chevalier**. Et **Georges Ulmer**, après avoir décrit le lieu : *"Un p'tit jet d'eau/ Un' station de métro/ Entourée de bistrots/ Pigalle"*, retrouve de vieilles connaissances : *"Petite femme qui vous sourit/ En vous disant : "tu viens, chéri..."/ Et Prosper qui dans son coin/ Discrètement surveille son gagne-pain"*, peut-être celui dont parle **Edith Piaf** : *"La fille de joie est belle/ Au coin d'la rue Labat/ Elle a une clientèle/ Qui lui remplit son bas"*. D'autres les enlèvent : *"La nuit retire ses bas noirs/ La boucle d'or des jarretières/ Eclate sur les trottoirs/ Et les dix yeux de ces légères"*. C'est ainsi que **René Fallet** décrit *Les Foraines* : *"Sur les planches du vent/ Elles sont cinq et dansent/ Elles montrent leur gorge et leurs pieds blancs/ Cette gorge est le silence/ La petite au boléro vert/ Ouvre la bouche il en sort/ L'air que brame un pick-up derrière/ La baraque à ressorts"*.

Place Blanche

Les boulevards situés entre la place Clichy et Barbès-Rochechouart constituaient la frontière entre Paris et la banlieue et coupaient le mont Martre en deux parties. La barrière d'octroi de la place Clichy fut le théâtre d'un combat de retardement en 1814. Comme tout quartier situé à l'extérieur de la capitale, le quartier de la barrière, interlope et de plaisir, offrait des bals et du vin moins cher – sans taxes –, notamment le petit vin blanc de qualité fort moyenne, le guinguet. Et c'est ainsi que les débits de boisson devinrent les guinguettes.

71

Quartier Saint-Denis

Le quartier de la Porte Saint-Denis, notamment la rue du Faubourg-Saint-Martin, fut longtemps le quartier des éditeurs de musique. On en percevait encore la trace, comme un vestige archéologique, il y a quelques années, dans les boutiques d'instruments de musique. *"Tout change dans la vie…"* chante **Fréhel**.

Il est impossible d'évoquer la rue Saint-Denis sans parler des péripatéticiennes. **Georges Brassens** leur a rendu hommage, tout au moins à l'abnégation dont elles font preuve dans la défense du bien public et de la paix des ménages car *"chanter l'amour (lui) est défendu/ Sauf s'il n'éclôt sur le destin/ D'une putain"* et que *"S'il (lui) plaît de chanter les fleurs/ Qu'elles poussent au moins rue Blondel/ Dans un bordel"*. C'est avec tendresse qu'il constate : *"Bien que ces vaches de bourgeois/ Les appellent des filles de joie/ C'est pas tous les jours qu'elles rigolent"*.

La liste des inconvénients du métier est terrible et peut-être pas exhaustive : *"C'est fatigant pour les guibolles/ […] C'est fou ce qu'elles usent de grolles/ […] Faut pourtant qu'elles les cajolent/ […] Elles sont bousculées par les flics/ Et menacées de la vérole"*. Conclusion : *"La noce n'est jamais pour leur fiole"* et *"Les sous, croyez pas qu'elles les volent"*.

Brassens, qui se définissait comme un "moyen-âgeux" est en filiation directe avec *La Ballade de la grosse Margot* de **François Villon**.

Baudelaire fréquente les prostituées, mais se sent avec elles *"comme au long d'un cadavre, un cadavre étendu"* et leur reproche surtout leur conformisme : *"Tous les imbéciles de la bourgeoisie qui prononcent sans cesse les mots : immoral, immoralité, moralité dans l'art et autres bêtises, me font penser à Louise Villedieu, putain à cinq francs, qui, m'accompagnant une fois au Louvre où elle n'était jamais allée, se mit à rougir, à se couvrir le visage et, me tirant à chaque instant par la manche, me demandait, devant les statues et les tableaux immortels, comment on pouvait étaler publiquement de pareilles indécences"*.

Paul Fort préfère le boulevard Sébastopol tout proche : *"Un baiser, oui! et je te donne toutes les roses de ce beau sol et les lettres d'or des balcons et le boulevard Sébastopol, la gare de l'Est à l'horizon !"*

Porte Saint-Denis

"Sous le règne de Louis XIV, la France offrait un magnifique spectacle : ses poètes, ses guerriers remplissaient l'Europe. A ces époques de grandeur où la sève est si puissante, parfois il arrive qu'un double génie rayonne au front de quelques privilégiés qui tracent pour l'honneur de leur patrie un double sillon de gloire. François Blondel fut un de ces élus. Sa bravoure chevaleresque, ses talents militaires l'élevèrent au rang de maréchal des camps et armées du roi ; son chef-d'œuvre de la porte Saint-Denis l'a placé parmi les plus grands artistes" (Félix et Louis Lazare). *Décidée par Louis XIV en 1670, la porte Saint-Denis fut élevée en 1672.*

Hôtel du Nord

En 1929, paraît le premier livre d'**Eugène Dabit**, recueil de nouvelles dissimulé en roman. *L'Hôtel du Nord* décrit la vie des locataires du couple Lecouvreur. C'est une des histoires du recueil qui servira d'argument au film réalisé par **Marcel Carné** en 1938, avec **Louis Jouvet** et **Arletty**. La célèbre réplique d'**Arletty** : *"Atmosphère, atmosphère, est-ce que j'ai une gueule d'atmosphère ?"*, écrite par **Henri Jeanson**, est la plus célèbre du cinéma français. Le film s'est éloigné de la nouvelle qui parle simplement de deux amoureux sans avenir décidés à se suicider ensemble.

Dans les années cinquante, **Edith Piaf** chantera cette histoire sans référence à **Dabit**, ni au film, sous le titre *Les Amants d'un jour* : *"Ils sont arrivés se tenant par la main/ L'air émerveillé de deux collégiens"*. Mais **Piaf** tirait la couverture à elle, ce qui est humain, et le public retenait surtout *"Moi j'essuie les verres au fond du café/ Et dans ce décor banal à pleurer/ J'ai bien trop à faire pour pouvoir rêver"*.

Francis Lemarque, qui avoue passer ses *Vacances à Paris* et chante *"Nous on est resté à Paris/ Les vacances nous ont réunis"*, ne peut décemment manquer *"Le long du canal Saint-Martin/ Les gondoles flânaient en latin"*. **Paul-Jean Toulet** n'est pas en reste : *"Sur le canal Saint-Martin glisse,/ Lisse et peinte comme un joujou,/ Une péniche en acajou,/ Avec ses volets à coulisse,/ Un caillebot au minium,/ Et deux pots de géranium./ Pour la Picarde en bas qui trôle"*. (*"Trôler"*, nous dit **Littré**, *"est un terme de pêche"*. Un filet à la trôle est un filet qu'on traîne *"çà et là dans l'eau"*. C'est la grâce des écrivains de maintenir le mot rare).

Sait-on que dans les années soixante, et la menace dura jusqu'au milieu des années soixante-dix, des édiles municipaux avaient conçu le projet démentiel de transformer le canal Saint-Martin en autoroute ? Et sur deux niveaux ? L'habitant du quartier aurait-il pu continuer à chanter, comme **Georgel** en 1909 : *"Je n'me trouve bien/ Qu' dans le faubourg Saint-Martin/ J'suis comme un prince/ C'est ma campagne ma province/ J'ai deux stations : Château d'Eau, Grands-Boul'vards./ Et d'l'une à l'autr' je roule ma bosse en père peinard/ En plein Paname ! J'ignore tous les potins/ Je n'me trouve bien qu' dans l'faubourg Saint-Martin"*.

Canal Saint-Martin

La décision d'ouvrir un canal qui reliera l'actuelle place de la Bastille à la barrière de Pantin est prise le 29 floréal, an X. Il est stipulé dans la loi qu'il sera "ouvert un canal de dérivation de la rivière d'Ourcq ; elle sera amenée à Paris dans un bassin près de la Villette". Malgré des relances en 1808 et 1810, ces prescriptions ne seront exécutées que par loi du 5 août 1821 où la Ville de Paris est autorisée à payer les indemnisations de terrains se trouvant sur la future ligne du canal. C'est seulement le 3 mai 1822 qu'est posée la première pierre. Le canal, long de 3 200 mètres, a une pente de 25 mètres, répartie entre dix écluses, non comprise celle de garde de la gare de l'Arsenal. Sa largeur, à hauteur des quais de Jemmapes et de Valmy, fut fixée à 27 mètres.

Aussi, quand en 1990, des promoteurs voulurent détruire l'Hôtel du Nord, il n'est pas étonnant que de nombreux Parisiens se soient organisés pour le sauver. Les partisans de la destruction, habilement, firent remarquer que le film *Hôtel du Nord* avait été entièrement tourné en studio, mais ce n'était pas tant le décor de cinéma qu'il fallait sauver que l'esprit de la littérature et aussi, bien sûr, *"l'atmosphère"*.

Le cinéaste **Pierre Etaix** déclara notamment : *"L'Hôtel du Nord était un hommage à Alexandre Trauner qui, pour le film, a reconstitué un décor qui n'est pas la réalité, mais qui correspond bien à l'univers de Carné. Le film, contrairement à l'immeuble, est impérissable"*. En définitive, l'hôtel fut détruit et des

logements de rapport édifiés à la place, mais revêtus d'une façade qui rappelait celle de l'Hôtel du Nord. Une façade de studio remplaçait une autre façade de studio. Une salle de spectacle, au rez-de-chaussée, prit la place de l'ancienne salle de bistrot.

Pascal Sevran écrit en 1992 *La Voix d'Arletty* : *"Et c'est la voix d'Arletty/ Mademoiselle de Paris/ Qui nous fait rêver/ Comme au vieux ciné/ De Prévert et de Carné/ Et c'est la voix d'Arletty/ Qui chante encore à Paris/ Pour les cœurs blessés/ Les passants pressés/ Les amants oubliés/ […] A l'Hôtel du Nord/ On s'arrête encore/ Pour la nostalgie/ Pour l'amour et puis/ Pour les enfants du paradis/ Pour la nostalgie/ Pour l'amour aussi/ Et puis pour la voix d'Arletty".*

Le Xe arrondissement recèle des noms de rues poétiques : la Grange-aux-Belles, Buisson-Saint-Louis, Vinaigriers, Chalet, Château-d'Eau, Petites-Ecuries, Petits-Hôtels, Echiquier, mais il possède des hôpitaux dont les noms faisaient, il n'y a pas si longtemps, trembler les pêcheurs : Saint-Lazare, aujourd'hui fermé, et, surtout, Saint-Louis, terreur des jeunes gens et qu'une chanson de salle de garde immortalise en des termes impossibles à reproduire. L'hôpital, construit à l'initiative d'**Henri IV**, en dehors de Paris, avec des potagers, vergers et jardins afin d'y vivre en autarcie durant les épidémies, est défiguré depuis 1984 par l'adjonction de bâtiments massifs. Est-ce la revanche, prémonitoire, des promoteurs qui ne sont pas venus à bout, malgré tout, de l'Hôtel du Nord ?

Les gares

"*Prêtez-moi la respiration légère et facile des locomotives hautes et minces...*" écrit **Valery Larbaud**. Longtemps, le train fut le moyen de transport idéal entre l'épuisante diligence et l'avion. L'administration des Chemins de fer trouva même, comme incidemment, un bel alexandrin : "*Le train ne peut partir que les portes fermées*". Cette invitation au voyage, permanente chez les poètes ("*Quand tu aimes il faut partir/ Ne larmoie pas en souriant/ Ne te niche pas entre deux seins/ Respire, marche et va-t-en*" écrit **Blaise Cendrars**), se plut dans les gares, ports terrestres à taille humaine, avec des semblables quais où l'on se dit adieu. Les trains partent à l'heure et malheur aux amants qui se manquent : "*A la gare Saint-Lazare/ Sous l'horloge pendue/ J'ai vu passer quatre quarts/ Et tu n'es pas venu*" (**Colette Deréal**, sur des paroles de **Pierre Delanoë**). Dès lors, le seul dieu des amants perdus est le hasard : "*Je l'ai retrouvée par hasard/ Qui vendait du buvard. Derrière une vitrine de la gare Saint-Lazare*" chante **Jacques Brel** et il ajoute, plus tard, "*A la gare Saint-Lazare/ J'ai vu les fleurs du mal/ Par hasard*". Dans toutes les gares de Paris, il y a aussi une salle des pas perdus où passent "*Mille cœurs à prendre/ Mais combien qui furent mordus/ Et qui sont à vendre ?*" (**Daniel Ancelet**). Qui a trouvé ce terme génial ? Les quartiers des gares, malgré les familles qui s'embarquent pour les plages, sont interlopes et **Willy** peut écrire : "*Deux grammairiens se disputaient pour Lise/ Mais un juge, plus preste, ou plus tendre, l'a prise/ Et la loge en garni près de la gare de l'Est/ Morale : Grammatici certant, sub judice Lise est*".

La plus belle est la gare du Nord, un décor utilisé par **Sergio Leone** pour reconstituer celle de Chicago, aujourd'hui détruite, dans *Il était une fois en Amérique*. Et le parigot **Milton** chante que "*Dans l'quartier d'la gare du Nord/ Tout le monde connaît Victor*", un garçon dont l'activité consiste à passer "*les rails de ch'min d'fer/ Tous les soirs au papier de verre*". **Léon-Paul Fargue** reste le chantre du quartier qui la ceint : "*Une sorte de passion nous ramenait là, boulevard Magenta, puis faubourg Saint-Martin, et j'y serais encore si la Compagnie de l'Est ne nous avait expropriés avant de nous faire remonter rue Château-Landon, à La Chapelle, dans ce cirque grouillant et sonore où le fer se mêle à l'homme, le train au taxi, le bétail au soldat*".

Gare du Nord

La gare du Nord est l'œuvre de l'architecte Jacques-Ignace Hittorf, né en 1797 à Cologne, alors sous domination française, et mort en 1867. A l'âge de dix-huit ans, il participe à la construction d'abattoirs et d'une halle aux blés en fer, sous la direction de Bellanger. Par concours, il devient l'architecte de la place de la Concorde et des Champs-Elysées. Sa première réalisation est le Cirque d'hiver, 110, rue Amelot (1852), mais sa grande réussite reste la gare du Nord, construite entre 1861 et 1865. Son travail consista d'abord à agrandir une gare existante, construite en 1845 par Reynaud. Surmontée d'une légère charpente métallique, novatrice à l'époque, la gare est agréable et pratique.

Petits métiers et boutiques

Le camelot et le rempailleur

Et si l'histoire de l'humanité n'était pas – pas seulement – celle des sciences, des techniques et des découvertes, mais l'histoire patiente de l'artisanat et du petit commerce ? L'histoire des petits métiers, c'est l'histoire du peuple travailleur, besogneux, obstiné, de ce peuple qui constitue la chair de toute société : les travailleurs indépendants. Jusqu'à la fin des années soixante, la société française – et les autres sociétés européennes – étaient des sociétés paysannes et artistiques. Elles sont aujourd'hui industrielles et scientifiques, ce qui permet de comprendre l'origine de bien des nostalgies...

Il y a une réplique réjouissante à la fin du film de **Raymond Bernard**, *Les Croix de bois* (1932), d'après le roman de **Roland Dorgelès**. Un boucher de la Villette, interprété par **Gabriel Gabrio**, vient de recevoir, lors d'une attaque, la "bonne blessure" à la main. Arrivé au poste de secours, l'infirmier lui annonce qu'il faut lui couper trois doigts. *"J'm'en fous, j'suis pas pianiste"*, répond le garçon boucher.

Toute la gouaille parisienne, toute sa gaieté devant l'adversité, est dans ce dialogue qui annonce les grands auteurs du terroir parisien : **Henri Jeanson** et **Michel Audiard**.

La chanson parisienne célèbre les métiers. A ce jeu, c'est **Bruant** qui se taille la part du lion. Chacune de ses chansons sur un quartier est aussi une description d'un métier lié de longue date à cet endroit. *A la Villette*, bien sûr, ce sont les bouchers des abattoirs. Ils possèdent leur argot, obtenu en plaçant un "l" à la place de la première consonne et en ajoutant le suffixe "bem". Un louchebem est un boucher; un laquebem un paquet.

A la Goutte-d'Or, ce sont les blanchisseurs, ce qui est confirmé par la lecture de *L'Assommoir* de **Zola**. La célèbre *Nini peau d'chien* est une ouvrière spécialisée dans le galuchat, la peau de poisson utilisée pour recouvrir des meubles. Evidemment, on trouve aussi beaucoup de professions quelque peu marginales et Sainte-Marguerite n'est pas l'église, mais une maison close qui se trouve dans la rue du même nom.

Restent les camelots, c'est-à-dire littéralement les marchands de camelote, de marchandise mal faite ou de qualité médiocre. Ce qui fascine chez le camelot, c'est le bagout, le boniment, typiquement parisien. **Milton**, chanteur surnommé Bouboule, est la vedette de films où il interprète des camelots : *Le Roi des resquilleurs* (1930); *Le Roi du cirage* (1931), etc. Il va codifier le personnage du Parisien – et du Français – débrouillard, malin, bon cœur, à qui "il ne faut pas la faire" ; bref, il va donner à ses compatriotes l'image qu'ils aiment d'eux-mêmes.

Georgius chante : *"Des idées, j'en ai cent, j'en ai mille/ Elles sont là, tout en tas qui s'faufilent"* et

comme abondance de biens ne nuit pas : *"Des idées, j'en fourmille, j'en entasse/ Tous les jours, elles accourent, j'ai plus d'place"*. Des exemples : *"Et ma pendule à pédale/ Pour qu'un raseur se cavale/ On appuie, ça sonne minuit/ I's'croit en retard, i's'enfuit/ Et pour aider nos finances/ L'impôt qui sauvera la France/ Tous les cocus paient trois francs/ L'budget est en excédent"*. Cet inventeur, lauréat en puissance du Concours Lépine, qui est-il ? Le Français moyen. **Milton** : *"On considère toujours, c'est facile/ Le Français moyen comme un imbécile"* ? Mais il résiste : *"J'aime pas qu'on m'bourre le crâne/ J'adore frauder la douane"* ; *"Je m'soucie comme du Pape/ Des ordonnances de Chiappe"*, pas si anarchiste que ça : *"Je crie que je m'en fous/ Mais j'traverse dans les clous"* ; *"J'crie Vive la République !/ Mais quand un Roi rapplique/ Je le suis comme un chien/ Je suis l'Français moyen"*.

Il existe une philosophie du petit métier : *"Oui, de tous les métiers, le vôtre est le plus sage ;/ Aucun saurait-il mieux, vers le souverain bien/ Elever la pensée, en nous montrant combien/ De l'or et des honneurs, rapide est le passage !/ Du monde d'ici-bas, le véritable aspect/ Vous seuls le connaissez, qui a la main souple et dure,/ Bravant également la tempête et l'ordure/ Fouillez nos vanités d'un crochet sans respect"* écrit **Vincent Muselli** à propos, bien sûr, des chiffonniers.

Mieux : un épicier ne pratique-t-il pas plus qu'un métier, mais un sacerdoce ? *"Le soleil meurt : son sang ruisselle aux devantures ;/ Et la boutique immense est comme un reposoir/ Où sont, par le patron, rangés sur le comptoir,/ Comme des coups de feu, les bols de confiture […] Heureux celui qui peut, dans nos cités flétries/ Contempler un seul soir pour n'oublier jamais/ La gloire des couchants sur les épiceries !"* (Id.).

L'idée même de camelot, de bonimenteur, reste attachée aux boulevards, où *"y a tant de choses, tant de choses à voir"*, et non aux avenues. Celle de fête également : *"Viens donc ma jolie Nénette/ Grouille-toi vit', mets ton chapeau/ Aujourd'hui c'est grande fête"* pour aller *"Sur les boul'ds de Paname/ Allons-y ma p'tite femme/ App'lons les voisins/ Le bistrot, les copains"* écrit **Rodor** sur une musique de **Vincent Scotto**, en 1918, pour célébrer la Victoire.

A la Bastille

La forteresse de la Bastille, détruite par l'entreprise de travaux publics du citoyen **Palloy**, n'est plus. Elle a été remplacée par une colonne surmontée d'un génie et par un opéra, ce qui fit dire à **Jean Dutourd** : *"On aurait mieux fait de reconstruire la Bastille elle-même car il y a plus de délinquants que de mélomanes en France"*. Quant à la colonne, elle inspira l'almanach **Vermot**, qui ressortait périodiquement la blague suivante : *"Un père de famille montre la colonne de Juillet à son jeune fils : "C'est à cet endroit qu'on enfermait les prisonniers". "A cet endroit" répond le gamin, "ils devaient être drôlement serrés".*

Se promener dans le quartier de la Bastille, c'est pousser la porte de la maison d'**Aristide Bruant**. Ça commence par le faubourg : *"Brune fille d'Angevins/ Pour tout faire elle était bonne/ Chez un vieux marchand de vins/ A Charonne"* dans *A Pantruche*. Un petit tour du côté du canal : *"Il était né près du canal,/ Par là... dans l'quartier d'l'Arsenal,/ Sa maman, qu'avait pas d'mari,/ L'appelait son petit Henri.../ Mais on l'appelait la Filoche,/ A la Bastoche"*. Evidemment, avec un "blaze" (un nom) pareil, on commet des bêtises : *"Un soir qu'il avait pas mangé,/ Qu'i' rôdait comme un enragé,/ Il a, pour barboter l'quibus/ D'un conducteur des Omnibus,/ Crevé la panse et la sacoche,/ A la Bastoche"*. C'est rue de la Roquette, face à la prison aujourd'hui disparue, que se dressait la guillotine. Les voyous la défiaient en se faisant tatouer un pointillé sur le cou. **Fréhel**, dans *Derrière la clique*, chanson sur les "Bat'd'Af", les bataillons disciplinaires d'Afrique, chante : *"Près du cou, on lit un tatouage/ A ma Nini, signé Déblair"*. **Déblair** était un de ces "messieurs" de Paris, spécialistes en raccourcissement. Les affranchis devaient affronter "la veuve" crânement, même s'ils demandent, à tout hasard, leur grâce : *"Si l'on graciait à chaqu' coup/ Ça s'rait trop chouette./ D'temps en temps faut qu'on coupe un cou/ A la Roquette [...] Aussi j'vas m'raidir pour marcher/ Sans qu'ça m'émeuve/ C'est pas moi que j'voudrais flancher/ Devant la veuve/ J'veux pas qu'on m'dise que j'ai eu l'trac/ De la lunette/ Avant d'éternuer dans l'sac/ A la Roquette"*.

Cette fin n'est certes pas la plus courante. Il y a d'autres débouchés, notamment pour une certaine **Nini** :

"Maint'nant a sert dan' eun' maison/ Où qu'on boit d'la bière à foison/ Et du champagne qui pétille/ A la Bastille [...] Mais si ses clients sont nombreux/ I'paraît qui sont tous heureux/ Alle est si bonne et si gentille/ A la Bastille [...] Pour eun' thune a' r'tir' son chapeau/ Pour deux thun' a'r'tir' son manteau/ Pour un signe on la déshabille/ A la Bastille".

La seconde après-guerre poursuit sur cette lancée avec **Léo Ferré** : *"Tes gigolos/ Te déshabillent/ Sous le métro/ De la Bastille/ Pour se saouler/ A tes jupons/ Ça fait gueuler/ Mais c'est si bon"*. **Henri Gougaud** constate les dégâts : *"Et le Chemin vert, qu'est-il devenu/ Lui qui serpentait, près de la Bastille ?"*, avant d'ajouter : *"Où est passée Paris la Rouge/ La Commune des sans souliers [...] Où est-il passé Clément des cerises ?"*. **Jacques Brel**, sur cette question, est ironique : *"On a détruit la Bastille/ Mais ça n'a rien arrangé/ On a détruit la Bastille/ Quand il fallait nous aimer"*, et donne un bon conseil : *"Mon ami qui croit/ Que tout doit changer/ Te crois-tu le droit/ De t'en aller tuer/ Les bourgeois"*, un thème de 1955, qu'il développera en 1962 dans le fameux *Les Bourgeois*.

Michel Legrand va encore plus loin et se montre même sans appel : *"Avec du vieux on fait du neuf/ C'est 1789"*. Les poètes ne laissent pas leur place aux chansonniers quand il s'agit de célébrer le quartier. **Verlaine**, d'abord : *"Habitants de ces chers confins de la Bastille,/ Où je fus trop heureux et puis trop malheureux"*, tandis qu'**André Salmon** se fait patriote : *"Ma petite patrie est au boulevard Voltaire"* et ne pourrait-on dire que *L'Orgie parisienne* ou *Paris se repeuple* d'**Arthur Rimbaud**, écrit en pensant à la Commune, s'adapte parfaitement au 10 août 1792 : *"Tas de chiennes en rut mangeant des cataplasmes,/ Le cri des maisons d'or vous réclame. Volez !/ Mangez ! Voici la nuit de joie aux profonds spasmes/ Qui descend dans la rue [...] Avalez, pour la Reine aux fesses cascadantes !"* ? Plus calmement, **Luc Decaunes** retrouve l'esprit de **Bruant** : *"Les lampes font des feux perdus en mer/ le long de la rue Saint-Antoine/ en remontant vers la Bastille/ et la nuit fumeuse de brume/ se traîne au long des murs livides/ [...] Café Biard place de la Bastille/ avec les trimardeurs du rêve/ et les exilés de la nuit/ café Biard passé minuit"*.

A la Bastoche

Après la destruction programmée de la forteresse de la Bastille vers novembre 1789, divers projets vont voir le jour : statue de la liberté en 1792, proposée par Palloy, entrepreneur chargé des démolitions ; arc de triomphe souhaité par Napoléon, transformé en éléphant géant (symbole impérial) – un éléphant de plâtre reste installé jusqu'en 1846 – ; statue allégorique de la Ville de Paris (1812) dont seul le socle sera terminé. Louis-Philippe, pour commémorer la révolution de Juillet 1830, décide d'ériger une colonne, d'abord dorique, puis corinthienne. En 1834, la colonne de Juillet, haute de 50,52 mètres, porte sur le fût en bronze le nom des cinq cent quatre tués durant les Trois Glorieuses. La prison de la Roquette, construite entre 1825 et 1836 par Hippolyte Lebas, 70, rue de la Roquette, a été détruite en 1974.

Rue de Lappe

Le Balajo

Au milieu des années trente, les dancings musettes remplacent les bals musettes et la pratique du "passez la monnaie". Les musiciens étaient payés au nombre de danseurs sur la piste qui, avant de commencer à "guincher", remettaient à un employé des jetons préalablement achetés à la caisse, ce qui établissait le nombre exact de danseurs. Le Balajo, du nom de Jo France, plus tard patron du cinéma Rex, est inauguré le 27 juin 1936. La décoration du Balajo (comme celle du Rex) est due à Henri Mahé (la décoration du Rex est classée, mais celle du Balajo, malgré des demandes récentes, reste à obtenir). Sont présents à l'inauguration : Lys Gauty, Orane Demazis, Marguerite Moreno, Mistinguett, Georgius, et même... Louis-Ferdinand Céline.

La rue de Lappe est une rue du XIe arrondissement, longue d'environ deux cents mètres, qui relie la rue de la Roquette à la rue de Charonne. **Fréhel**, en chanson, nous apprend que ce fut *"L'rendez-vous des purs, des vrais, des chouettes/ C'est à la Bastille, tout près d'la Roquette/ Y a là réunis plusieurs bals musettes/ Où tous les rupins, les gens du gratin viennent voir les copains"*.

Francis Lemarque y vint au monde en 1917 et, dans ses souvenirs, il rapporte qu'il fut littéralement bercé par les accordéons qui jouaient pratiquement à chaque numéro de cette rue consacrée au musette. Rien d'étonnant à ce qu'il ait consacré une chanson entière à ce berceau : *"Rue de Lappe rue de Lappe au temps joyeux/ Où les frappes où les frappes étaient chez eux/ Rue de Lappe rue de Lappe en ce temps-là/ A petit pas on dansait la java/ Les Jules portaient des casquettes"*.

Quelques années plus tard, **Fargue** se plaint : *"Cet ancien joyau d'ombre du onzième arrondissement a joliment changé en quelques années. Ce n'est*

plus qu'une artère, une varice gluante d'enseignes électriques de la dernière heure, qui semble ouverte et de laquelle s'échappe un aigre sang de music-hall". Il conclut : *"Que ne reconstitue-t-on un fragment de la vraie rue de Lappe dans quelque encoignure de l'exposition ?"*

La rue de Lappe devient le mètre étalon du sol parisien. **Maurice Chevalier** peut chanter : *"De la rue d'Lappe à la rue d'la Gaîté/ Y a pas une môme dans tout Pantruche/ Qui avec la mienne puisse lutter"*. C'est le territoire des frappes, donc des voyous, qui, coiffés d'une casquette, dansent le musette, cet instrument ancien, ancêtre de l'accordéon et qui est devenu un genre musical : *"La casquette un peu de côté/ On le voyait se balader/ Ça lui faisait une drôle de tête/ Sa casquette"* chante **Colette Renard** qui regrette que *"On a beau être un bon garçon/ Les bourgeois ont leur opinion/ Il n'y a pas de gens honnêtes/ En casquette"*.

L'instrument de musique roi, malmené durant les années yé-yé et qui effectue un retour en force profond,

c'est l'accordéon. Les expressions "piano à bretelle" ou, pire, "piano du pauvre" ne sont guère appréciées des amateurs et, encore moins, des accordéonistes qui les trouvent injurieuses.

L'accordéon est omniprésent dans nombre de chansons de **Francis Lemarque**, *Accordéon solitaire, Bal musette, C'est un accordéon* ou *Bouchon d'accordéon* : *"Dans un bouchon/ D'accordéon/ A la Villette/ J'ai chaviré/ Et fait valser/ Mes gigolettes/ Des tours de reins/ Qu'avaient du chien/ Et quelles gambettes!!!/ A faire damner/ Un réformé/ Des bals musettes/ J'entends l'écho/ Du bleu tango/ De ma jeunesse/ Et ses accords/ Troublent encore/ Mes jours de liesse/ J'étais l'artiste/ Roi de la piste/ Et mes prouesses/ Laissaient pant'lants/ Tous les perdants"*. Et **Serge Gainsbourg** : *"Accordez accordez accordez donc/ L'aumône à l'accordé-accordéon"* et le cœur de **Rosalie Dubois** chavira *"Parce qu'un air d'accordéon…"* Mais c'est **Fréhel** qui célèbre le plus l'instrument : *"Au bal musette/ C'est bien plus chouette/ Les musiciens sont vivants/ Quand ils vous prennent/ Ils vous entraînent/ On en a pour son argent"*. Avant **Edith Piaf**, elle en pince pour un

artiste : *"C'est à Belleville/ Dans un musette/ Que j'ai connu le grand Léon/ C'était la noce/ C'était la fête/ C'était un joli garçon"*. Conclusion : *"C'qui m'plaît dans c'mec-là/ C'est qu'il joue de l'accordéon"*. Sans doute l'encourage-t-elle : *"Dans la vie faut pas s'en faire/ Hop! Tire ton soufflet/ Pour oublier nos misères/ Hop! Tire ton soufflet/ On se fout de la vie chère/ Hop! Tire ton soufflet"*. Mais, bien sûr, **Piaf** ne s'en sort pas mal non plus : *"Et ses yeux amoureux/ Suivent le jeu nerveux/ Et les doigts secs et longs de l'artiste/ Ça lui rentre dans la peau"*.

Et que dansent-ils ? **Milton** – Bouboule – est formel : *"La java faut l'avoir dans l'sang/ On ne l'apprend pas on la sent/ On a comme professeur/ Une môme ou bien sa sœur/ On tient sa gosse sous les bras/ Et quelquefois plus bas dans l'gras/ Elle colle ses deux pommes/ Tout contre son no-n'homme/ On s'plante les chasses dans les chasses/ On s'occupe pas autour de c'qui s'passe/ On respire tout près, tout près/ On se prend comme pour de vrai/ On a le sang qui bout/ On oublie tout"* et clôt la consultation par *"Et le reste on s'en fout"*.

Le serpent qui danse

La valse a été une révolution. Dans les deux sens du terme. Une révolution, nous dit **Littré**, c'est le *"retour d'un astre au point d'où il était parti [...] Etat d'une chose qui s'enroule [...] mouvement de rotation qu'une ligne ou un plan déterminé décrit autour d'un axe immobile"*. Tout cela correspond à la description de la valse par **Victor Hugo** : *"Si vous n'avez jamais vu d'un œil de colère/ La valse impure, au vol lascif et circulaire/ Effeuiller en courant les femmes et les fleurs"*.

Mais cette danse, inventée en France au cours du XIV\ siècle, la Castil-Blaze, a aussi révolutionné les mœurs : pour la première fois, au XIX\ siècle, les danseurs se sont tenus l'un contre l'autre et – plus ou moins – serrés. La valse *"d'un coup d'aile a détrôné la danse"* (**Alfred de Musset**). Elle est à l'origine de toutes les danses modernes : slow, fox-trot et jusqu'au rock'n roll qui s'est d'abord appelé be-bop, sans oublier, au premier chef, notre java. Sous l'influence des rythmes afrocubains et du twist, la danse, à la fin des années soixante, va revenir à la séparation des corps, ce que les ligues de vertu n'avaient pu obtenir.

Claude Moine, alias **Eddy Mitchell**, a chanté : *"Ne provoquez pas le Père éternel/ Pas de boogiewoogie avant de faire vos prières du soir"*, tant il est évident que danse et lascivité sont liées, ce que prouve **Baudelaire** : *"A te voir marcher en cadence,/ Belle d'abandon,/ On dirait un serpent qui danse/ Au bout d'un bâton"*. Est-ce le serpent du péché originel ?

La chanteuse **Michèle Arnaud** s'était bien moquée des précepteurs : *"N'allez pas, Julie, vous rouler dans l'herbe/ Quand monsieur l'abbé déjeune au château"*... qui donnent les conseils de maintien : *"Les yeux baissés/ Les genoux serrés/ Faites de la dentelle/ Faites de l'aquarelle/ De la pâtisserie/ Mais n'allez pas surtout/ Courir le guilledou/ Avant de prendre époux"*, ce qui est tout le contraire de ceux prodigués par **Pierre Louÿs** dans son *Manuel de civilité pour les petites filles à l'usage des maisons d'éducation*.

Et **Michèle Arnaud** peut conclure, sur des paroles de **Boris Vian** : *"N'vous mariez pas les filles, n'vous mariez pas! Allez danser à l'Olympia/ Changez d'amant quat'fois par mois/ Ah! la belle vie que ce sera/ Si vous n'vous mariez pas les filles/ Si vous n'vous mariez pas"*. Mais où tout cela peut-il mener ?

Un banc d'essai

Sur la photo ci-contre, on voit des ecclésiastiques assistant à une exhibition de danses modernes "ne péchant pas contre la moralité". Il semble que le XIXᵉ siècle – son mode de vie et sa pensée –, largement influencé par les idées romantiques – ce qui n'enlève rien aux réalisations artistiques issues de ce mouvement –, ait quelque peu tiré vers une morale plus proche de Calvin que de Jésus-Christ : "Vous jugez selon la chair; mais moi je ne juge personne" (Jean VIII-15). Les puritains ont triomphé. Les danses modernes d'aujourd'hui sont certes fort lascives, mais les danseurs se gardent bien de toucher leur partenaire.

Après avoir donné ses *Conseils aux filles*, **Jean Yanne** peut chanter : *"Ah, rouvrez les maisons, rouvrez les maisons, rouvrez les maisons/ Qu'on dérouille"*. La morale de l'histoire se trouve dans *Le Galant niais*, chanson populaire : *"Que chantez-vous, la belle?/*

Qu'avez-vous à chanter?/ Je chant' ce gros lourdaud/ Qui m'a laissée aller/ Retournez-y, la belle/ Cent écus vous aurez/ Ni pour cent, ni pour mille/ Jamais vous n'm'y aurez/ Quand on tient les fillettes/ Il faut les embrasser/ Quand tu tiens l'alouette/ Il te la faut plumer".* En somme, *"avant l'heure, c'est pas l'heure, après l'heure, c'est plus l'heure".* Ou, comme il est dit dans *Perceval le Gallois* : *"Qui embrasse femme et plus n'y fait, quand ils sont seul à seul, c'est lui qui a reculé"* (**Chrétien de Troyes**).

Dans les rues

Pas de Paris sans rues, pas de rues sans Paris. Cela va sans dire, mais cela va mieux en le disant, tant certains architectes ont prétendu le contraire... D'ailleurs, **Francis Lemarque** est formel : *"La rue fait la fête avec presque rien"* et *"Au coin d'une rue/ C'est un accordéon/ Qui chante la douceur/ D'un temps disparu/ Sur son clavier magique/ Scintillent les couleurs/ De toutes les musiques/ Et de tous les bonheurs/ Accordéon des rues/ On te croyait perdu/ Te voilà revenu/ Tu as repris ta place/ Dans le cœur de chacun/ Te voilà revenu/ Tu as repris ta place/ Dans le cœur de chacun/ Reconquis ton espace/ Sur l'aile d'un refrain"*. Il y eut des chanteurs dans les rues de Paris jusqu'au début des années soixante. Il est même permis de se demander si la permanence du chant populaire n'était pas due, en partie, à la présence de maçons italiens sur les échafaudages.

Dans la rue, il se passe toujours quelque chose. Une naissance : *"Je suis née dans l'faubourg Saint-Denis/ Et j'suis restée une vraie gosse de Paris"* (**Mistinguett**) ; un accident qui arrange bien les amants quand le mari passe sous *Le Fiacre* : *"I's lanc' sur l'pavé en bois/ Mais i'gliss' sur l'sol mouillé/ [...] Crac ! Il est écrabouillé"* (**Yvette Guilbert**) ; des amours : *"C'est la rue de notre amour/ Tout au fond d'un vieux faubourg/ On y voit rôder le soir/ Les amoureux dans les coins noirs/ C'est la rue de notre amour/ [...] C'est la ruelle des cœurs fidèles/ Nous aimons toujours, toujours/ La rue de notre amour"* (**Damia**) ; des filles : *"Je serai gentille mon chéri/ Mais il vous répond "tu charries"/ Et l'on fait le pied de grue/ Tout' la nuit dans la rue"* ; des tournages de films quand **René Clair**, en 1933, écrit les paroles de la chanson de son film *14 juillet* : *"A Paris dans chaque faubourg/ Le soleil de chaque journée/ Fait en quelques destinées/ Eclore un rêve d'amour"* ; des travaux de voirie qui font dire des bêtises à **Dranem** : *"Y a un quai dans ma rue/ Y a un trou dans mon quai/ Vous pouvez donc contempler le quai de ma rue/ Et le trou de mon quai"*. Après un voyage à l'étranger, **Maurice Chevalier** chante : *"Le long des rues, ces refrains de chez nous/ Ça sent si bon la France/ Sur un trottoir un clochard aux yeux doux/ Ça sent si bon la France/ Ces gens qui passent en dehors des clous/ Ça sent si bon la France"*.

Carrefours

Familles et éducateurs désespèrent de laisser la jeunesse "dans les rues" et exigent des salles de sport et des centres culturels. C'est pourtant dans la rue que l'histoire – et la mémoire – de la chanson s'est faite, patiemment et de siècle en siècle, avec de parfaits inconnus devenant les célébrités du lendemain. "A l'heure du caf'conc', les chansons naissaient dans la rue. Elles n'étaient soumises à aucun choix arbitraire. Seul, le public décidait. Résultat : malgré juke-box et hit-parades, *Viens Poupoule* et *Roses blanches* sont immortelles" *(Pascal Sevran).*

La chansonnette

La chanson populaire est aussi nécessaire aux Parisiens que le vin et le fromage. *"Je chante"* proclame fièrement **Charles Trenet**, comme un manifeste de la joie. La nostalgie vient de loin. **Fréhel** chante : *"Reprenons si tu veux la chanson d'autrefois/ Comme on était heureux/ On s'baladait au bois/ On avait ni java ni musette/ Et l'on vous appelait midinette/ [...] Les jours de fête c'était pas cher/ Y avait les cafés-concerts/ Où les vedettes chaque saison/ Lançaient la chanson/ Que tous en chœur à tous les échos/ On chantait en prenant l'apéro".*

Que demande le peuple ? Pas quelque chose de compliqué : *"Un p'tit air, avec des paroles pas bien méchantes/ Un p'tit air, qu'on peut siffler comme un vittel-menthe/ [...] Un p'tit air, avec un refrain sans importance/ Un p'tit air, qui redonne du goût à l'existence/ Un p'tit air, comme il n'y en aura jamais qu'en France"* chante **Maurice Chevalier** en 1938. Vingt-cinq ans plus tard, il enfonce le clou : *"J'connais des gens très bien/ Qui lisent Freud et potassent Einstein/ Aucun intérêt pour moi/ On peut pas mettre une bonne musique sur ces trucs-là".*

Dans les années cinquante et soixante, devant l'invasion du rock'n roll, **Yves Montand** se réjouit du retour de la chansonnette qui *"A Presley fait du tort/ Car tous les transistors/ Soudain s'arrêtent".* **Colette Renard**, sur des paroles de **Michel Rivgauche** , affirme que la bonne musique : *"C'est pas du Rimsky, du Korsakoff ou je n'sais qui/ [...] C'est un truc français/ On est des lions moi j'm'y connais/ Les Américains et tiens, même les Cubains/ A côté c'est rien, ça fait d'l'effet parce que c'est typique/ Ça c'est d'la musique".*

Le principal, c'est l'amour et **Paul Misraki** emporte le morceau : *"Sur deux notes/ Je vais dire je t'aime/ Sur trois notes/ Je te donne mon cœur/ Sur quatre notes je développe le thème/ Et sur toute la gamme/ Je chante mon bonheur/ Les deux notes, c'est ta vie et la mienne/ Les trois notes, c'est nous et notre amour/ Les quatre notes sont nos mains qui se tiennent/ Et puis toute la gamme se traduit par toujours".* Et **Trenet** conclut : *"C'est la romance de Paris/ Au coin des rues elle fleurit/ Ça met au cœur des amoureux/ Un peu de rêve et de ciel bleu".*

"Ça, c'est de la musique"

Pascal Sevran, défenseur intraitable de la chanson française, écrit dès 1978 : "Il y a toujours un refrain qui traîne dans la mémoire collective. Aux grandes heures de notre Histoire, il se trouve toujours un poète et un musicien pour dire le sentiment populaire [...] La chanson, c'est un mariage à trois réussi : paroles, musique, interprète. Il faut une belle dose d'optimisme ou d'inconscience aux jeunes gens qui croient réunir ces qualités dans leur seule personne [...] En cette fin du XXᵉ siècle, la chanson souffre d'être malmenée par des amateurs préoccupés avant tout de la rentabilité de leurs œuvres".

La fête sur la Butte

Albert Mérat plante le décor : *"Les dimanches, on monte encor/ Par des ruelles de décor/ Jusqu'au Moulin de la Galette;/ Mais des jeux vagues, des tonneaux/ Le trapèze près des anneaux,/ Où quelque gros bourgeois halète,/ Des nippes jonchant les taillis,/ Fleurissent dans tous les pays,/ Heureusement c'est la banlieue/ Perchée un peu haut, d'où l'on voit/ S'étendre au loin, de toit en toit,/ La ville immense, belle et bleue"*; *"L'air épais et chargé des bals de la barrière/ Qui mêlent au parfum des grogs et de la bière/ Celui des pipes, près des saladiers de vin,/ (Un cigare quelconque étant un luxe vain),/ Le relent affadi des vagues cosmétiques,/ L'odeur de renfermé des arrière-boutiques,/ Cet air lourd, vicié de germes malfaisants,/ Que respirent le soir des bouches de quinze ans,/ Blesse, ici comme ailleurs, l'odorat et la vue./ Le violon est fou, la flûte saugrenue"* (Id.).

Georges Gabory croque le cabaret Le Lapin agile (Là peint A. Gill, **André Gill**, illustrateur) : *"Dans la salle enfumée où l'Eros est fragile/ On entend rarement parole d'Evangile./ Un jouvenceau coiffé d'un feutre à large bord/ Offre à Mimi Pinson de séduisants dehors./ Le bonheur ici-bas n'a pas fermé boutique,/ Et la bonne a servi sur la table rustique/ Un pichet de rosé, la sauce du* Lapin *!"*

Le Moulin Rouge inspire une des plus belles chansons qui doit autant à l'amour qu'à Montmartre : *"Que de fois l'on a répété/ Ces mots qui chantaient dans nos cœurs/ Et pourtant que m'est-il resté/ De tant de rêves de bonheur ?/ Un simple moulin qui tourne ses ailes/ Un simple moulin/ Rouge comme mon cœur"*. Les paroles sont de **Jacques Larue**.

Aux gosses de la Butte, à la rue Lepic qui monte, qui monte et qui fait un coude pour que les voitures à chevaux puissent l'escalader, aux cabarets, il manque un élément du décor : les mauvais garçons. Dans l'imagerie de Montmartre, les artistes se donnent le genre dessalé comme **Eugène Lemercier** qui feint d'avouer : *"En chansonnier vraiment très chic/ J'habite en haut d'la rue Lepic/ Un' chouette cahute/ C'est là qu' les pieds dans mes chaussures/ Je compose un tas de chansons/ A la minute"*. Avant qu'**Albert Préjean** chantât *La Valse à Dédé de Montmartre*, **Bruant** n'avait pas manqué de saisir, comme avec un fusain, le peuple du lieu :

"L'an mil-huit-cent-soixante-et-dix/ Mon papa qu'adorait l'trois six/ Et la verte/ Est mort à quarante-et-sept ans/ C'qui fait qu'i'r'pose depuis longtemps/ A Montmerte/ Deux ou trois ans après je fis/ C'qui peut s'app'ler, pour un bon fils,/ Eun' rud' perte :/ Un soir su' l'boulevard Rochechouart/ Ma pauv' maman se laissait choir/ A Montmerte/ Je n'fus pas très heureux depuis/ J'ai ben souvent passé mes nuits/ Sans couverte/ Et ben souvent quand j'avais faim/ J'ai pas toujours mangé du pain/ A Montmerte/ Mais on était chouette, en c'temps-là/ On n'sacrécœurait pas sur la/ Butt' déserte/ E j'faisais la cour à Nini/ Nini qui voulait fair' son nid/ A Montmerte/ Un soir d'automne à c'qui paraît/ Pendant qu' la vieill' butte r'tirait/ Sa rob' verte/ Nous nous épousions dans les foins/ Sans mair' sans noce et sans témoins/ A Montmerte". Dans *A Pantruche*, chanson générique des principaux quartiers de Paris, il n'oublie pas une bonne qui *"pour élever l'innocent/ [...] Dut se mettre en carte/ Et travailler le passant/ A Montmart'e"*. Après avoir quadrillé la Butte, notamment la rue Saint-Vincent et chambré *"la femme à Pierre"* laquelle *"A rouspète, a fait du chichi/ A r'naude, a crâne, a rogne, a gueule/ A tient l'boulevard à elle tout' seule/ Depuis Montmart' jusqu'à Clichy"*, **Bruant** s'aventure vers des contrées où *"On a frio, du haut en bas/ Car on n'a ni chaussett's ni bas/ On transpir' pas dans la flanelle/ A la Chapelle/ On a beau s'payer des souliers/ On a tout' d'mêm' frisquet aux pieds/ Car les souliers n'ont pas d'semelle/ A la Chapelle"*. Hier comme aujourd'hui, tout change : *"Mais l'quartier d'venait trop rupin/ Tous les sans-sous, tous les sans-pain/ Radinaient tous, mêm' ceux d'Grenelle/ A la Chapelle"*, sans omettre que *"En ce temps-là, dans chaque famille/ On blanchissait de mère en fille/ Maintenant on blanchit encore/ A la Goutt'- d'Or [...] A c'tte époqu' là tout's les fillettes/ Les goss'lines, les gigolettes/ S'mariaient avec leur trésor/ A la Goutt'- d'Or [...] Aujourd'hui faut à ces demoiselles/ Des machins avec des dentelles/ Et des vrais bijoux en vrai or/ A la Goutt'- d'Or"*.

Ainsi, la chanson montmartroise a décrit le peuple de Paris tout entier, ses petits métiers, ses occupations et ses distractions. Paris regarde Montmartre, mais c'est de Montmartre qu'on voit tout Paris. Qu'on l'embrasse…

Moulin des amours

En 1570, Le Taste constate que Paris a deux joyaux : les vitraux de Notre-Dame et les moulins de Montmartre. Au XVIIIe siècle, il en reste une quinzaine, dont deux vont survivre : Le Blute-fin et le Radet. Le moulin de la Galette, ancien Blute-fin, avant de devenir un lieu de plaisir immortalisé par le pinceau de Renoir, est le lieu d'un acte de guerre. En 1814, les quatre frères Debray et le fils de l'aîné, propriétaires du moulin, participent à la défense de Montmartre contre les Cosaques. Le 30 mars, l'aîné des frères Debray, seul survivant, ira jusqu'à assassiner l'officier russe venu parlementer. Le Moulin Rouge, music-hall situé boulevard de Clichy, est inauguré le 5 octobre 1899 et, à notre connaissance, n'a provoqué la mort de personne.

Le Lapin agile

Les hommes de la génération de la Première Guerre mondiale, nos grands-pères et nos oncles, avaient gardé, de leurs permissions à Paris, une image sympathique mais déformée des plaisirs de la capitale. Tout leur semblait ramené à Montmartre, à quelques cabarets et refrains égrillards. A l'adresse de leurs petits-fils et neveux, ils chantaient : *"Mont' là-dessus/ Et tu verras Montmartre/ Mont' là-dessus/ Et tu verras mon..."* et la rime s'estompait dans un éclat de rire.

En pensant à eux, **Pierre Gripari** écrit : *"Monte là-dessus, tu verras Montmartre/ Montmartre et sa butte aux bleus escarbots/ Nous regarderons les putes se battre/ Pour les yeux dorés de quelque barbeau"*, car le délicieux auteur de contes pour la jeunesse n'était rien moins que lucide. Mais il ne les oubliait pas, les poulbots : *"On y voit jouer et courir/ De petits loupiots de Montmartre/ Aux frimousses pâlotes, effrontées/ Aux museaux de jeunes renards"*.

Montmartre se dit aussi, en encore moins de mots : *"Les cœurs brûlent à feu couvert/ Une ombre immense tourne autour du Sacré-Cœur/ C'est Montmartre"* (**Pierre Reverdy**).

Mais la fête reste la fête et un cabaret un cabaret, notamment Le Lapin agile. **Georges Gabory** rend compte : *"– Comment, tu n'es pas morte ? On rencontre un copain/ Frédé prend sa guitare, assez causé, cousette/ Silence ! Il va chanter* La Chanson de Musette*"*, allusion à une histoire criminelle célèbre où un chien démasque, en jappant, le souteneur, assassin de son maître, le fils de **Frédé**, le patron du lieu. Le souteneur, décontenancé, ne put que dire : *"Frédé, prends ta guitare"*.

De ces vers, il ne faut pas déduire que l'accordéon est le seul maître des lieux. La guitare est présente, bien avant les auteurs-compositeurs-interprètes – les fameux A.C.I. – qui fleurissent dans les années cinquante (et, notamment, **François Deguelt**, qui dirigea Le Lapin agile), bien avant les guitares électriques des yé-yé. Dans un poème au titre charmant comme son auteur, *Calvitie de la butte Montmartre* (**Max Jacob**), on peut lire : *"Ma jeunesse a fleuri le long des palissades/ Où chante dans sa cage un ultime merle blanc/ Ma guitare nocturne a gratté des ballades/ J'ai le cœur vide maintenant"*.

La plaisanterie

Le Lapin agile *s'appelait, en 1860,* Au rendez-vous des voleurs. *Vaste programme ! C'est le peintre et caricaturiste André Gill qui donna son nom au cabaret en échange du croquis d'un lapin. Ce fut aussi le lieu d'un des plus célèbres canulars. Roland Dorgelès et André Warnod y présentèrent un manifeste,* Le Manifeste de l'excessivisme, *et un tableau, les deux signés d'un artiste jusque-là inconnu, Boronali. Le tableau, peint avec la queue d'un âne vivant (Boronali est l'anagramme d'Aliboron), et intitulé* Et le soleil s'endormit sur l'Adriatique *fut exposé au Salon des Indépendants et y obtint un certain succès, y compris auprès de la critique qui y vit* "un tempérament encore confus de coloriste" *quoi qu* "une maladresse de facture".

Allée des Brouillards

Quand le promeneur se place au croisement des rues Girardon et Norvins, il se trouve place Marcel-Aymé. Derrière lui, l'ancienne clinique du **docteur Blanche** où fut enfermé **Gérard de Nerval** pour s'être – dit-on – promené avec un homard tenu en laisse ! A gauche, un immeuble où vécut **Céline** et, à droite, celui où vécut **Marcel Aymé**. En retrait d'un mur de soutènement, s'extrait **Marcel Aymé** en *Passe-muraille*, statue due à l'acteur et sculpteur **Jean Marais**. En face, et en descendant à gauche l'avenue Junot, se trouvent la maison du dessinateur **Poulbot** et un peu plus bas, au 15, la maison construite par **Loos** pour **Tristan Tzara**. A droite, l'atelier du peintre **Gen Paul**. En prenant la rue Girardon, on aboutit au château des Brouillards où vécut **Roland Dorgelès** et où ne vécut pas **Gérard de Nerval**, quoi qu'on en dise. Devant l'allée des Brouillards, un buste de **Dalida**, qui habitait rue d'Orchampt. En remontant la rue de l'Abreuvoir, sur la gauche, signalée par une plaque, la maison de l'historien de l'Empire, le commandant belge **Lachouque**. Quel quartier peut dire mieux en si peu de place ? Ce n'est plus le Montmartre de **Nerval**. Un certain **Guy Metives** écrivit rageusement : *"Les Philistins ont pris Montmartre/ Sur le vieux et sacré décor/ S'élargit la hideuse dartre/ De leurs "immeubles de rapport".*

Le Montmartre des années 1850, c'était celui d'un ami de **Nerval**, lequel dit de lui : *"A minuit, tout le monde pense avec terreur à son portier. Quant à lui-même, il a déjà fait son deuil du sien, et il ira se promener à quelques lieues – ou seulement à Montmartre. Quelle bonne promenade, en effet, que celle des Buttes Montmartre, à minuit, quand les étoiles scintillent et que l'on peut les observer régulièrement au méridien de Louis XIII, près du Moulin de Beurre. […] Ce n'est pas qu'il songe à coucher dans les carrières de Montmartre, mais il aura de longues conversations avec les chaufourniers. […] Malheureusement, les grandes carrières sont fermées aujourd'hui. Il y en avait une du côté du Château-Rouge, qui semblait un temple druidique, avec ses hauts piliers soutenant des voûtes carrées. L'œil plongeait dans des profondeurs, – d'où l'on tremblait de voir sortir Esus, ou Thot, ou Cérunnos, les dieux redoutables de nos pères. Il n'existe plus aujourd'hui que deux carrières habitables du côté de Clignancourt".*

A Montmartre

Montmartre vient de loin : *"Item, et au mont de Montmartre,/ Qui est un lieu moult ancien,/ Je lui donne et adjoins le tertre/ Qu'on dit le mont Valérien,/ Et outre plus, un quartier d'an/ Du pardon qu'apportai de Rome ;/ Si ira maint bon chrétien/ Voir l'abbaye où il n'entre homme"* (**François Villon**).

Gérard de Nerval ne s'y est pas trompé non plus : *"J'ai longtemps habité Montmartre; on y jouit d'un air très pur, de perspectives variées, et l'on y découvre des horizons magnifiques. [...] Il y a là des moulins, des cabarets et des tonnelles, des élysées champêtres et des ruelles silencieuses, bordées de chaumières, de granges et de jardins touffus, des plaines vertes coupées de précipices, où les sources filtrent dans la glaise, détachant peu à peu certains îlots de verdure où s'ébattent des chèvres qui broutent l'acanthe suspendue aux rochers; des petites filles à l'œil fier, au pied montagnard, les surveillent en jouant entre elles. On rencontre même une vigne, la dernière du cru célèbre de Montmartre, qui luttait du temps des Romains avec Argenteuil et Suresnes. [...] Ce qui me séduisait dans ce petit espace abrité par les grands arbres du château des Brouillards, c'était d'abord ce reste de vignoble lié au souvenir de saint Denis. [...] C'était ensuite le voisinage de l'abreuvoir, qui le soir s'anime du spectacle de chevaux et de chiens que l'on y baigne, et d'une fontaine construite dans le goût antique, où les laveuses causent et chantent comme dans un de ces premiers chapitres de Werther. [...] Au-dessus se dessine et serpente la rue des Brouillards, qui descend vers le chemin des bœufs, puis le jardin du restaurant Gaucher, avec ses kiosques, ses lanternes et ses statues peintes"*.

Le décor est planté et **Henri Duvernois** peut s'exclamer : *"Montmartre est encore ce que Dieu a fait de mieux"*. Dès lors, Montmartre sera lié à la fête, à l'amour, à la nostalgie, dans une réciprocité permanente.

En 1954, le cinéaste **Jean Renoir** rend hommage à son père, le peintre, dans le film *French-Cancan*. Il écrit les paroles de la chanson : *"Les escaliers de la Butte sont durs aux miséreux/ Les ailes des moulins protègent les amoureux"*, tout cela se déroulant *"En haut de la rue Saint-Vincent"* où *"Un poète et une inconnue/ S'aimèrent l'espace d'un instant/ Mais il ne l'a jamais revue/ Cette chanson il composa/ Espérant que son inconnue/ Un matin d'printemps l'entendra/ Quelque part au coin d'une rue"*. Un an avant, **John Huston** avait également rendu hommage à La Butte et à l'un de ses peintres, **Toulouse-Lautrec**, dans le film *Moulin Rouge*. La chanson du film, homonyme, dit notamment : *"Moulin des amours/ Tu tournes tes ailes/ Aux ciels des beaux jours/ Moulin des amours"*. Un autre *Moulin Rouge*, de 1896, est plus mélancolique encore : *"Moulin Rouge, Moulin Rouge/ Pour qui mouds-tu, Moulin Rouge ?/ Pour la mort ou pour l'amour?/ Pour qui mouds-tu jusqu'au jour ?"*

Réponse de **Jules Romains** : *"Tu sais, quand nous allions dîner/ Sous les arbres, place du Tertre?/ Des jeux d'enfants, des cris d'enfants/ Etaient le monde autour de nous"*. La nostalgie est toujours ce qu'elle est : *"A Montmartre, près des moulins/ Mes souvenirs entrent en scène"* (**Francis Carco**). **Frénaud** enchaîne : *"Ô Montmartre ta proue/ et tes tours pour hausser/ mes refus tes rosaces/ pour mirer la beauté"*. **Max Jacob**, à l'aise dans le labyrinthe des rues, constate : *"L'impasse de Guelma a ses corrégidors/ Et la rue Caulaincourt ses marchands de tableaux/ Mais la rue Ravignan est celle que j'adore/ Pour les cœurs enlacés de mes porte-drapeaux"*. **Fréhel**, lucide, chante : *"Mais Montmartre semble disparaître/ [...] Sur les terrains vagues de la Butte/ De grandes banques naîtront bientôt/ Où ferez-vous alors vos culbutes/ Vous les pauvres gosses à Poulbot ?/ En regrettant le temps jadis/ Nous chanterons pensant à Salis/ Montmartre ton De profondis!"*

Rodolphe Salis fonda le cabaret Le Chat noir, boulevard de Rochechouart, qui déménagea après quatre ans d'existence au 12, rue Victor-Massé (IXe). L'aventure dura de 1881 à 1897 et une plaque en perpétue le souvenir. **Aristide Bruant** y débuta avant de fonder son propre cabaret : *"Je cherche fortune/ Autour du Chat noir/ Au Clair de la lune/ A Montmartre le soir"*. Toute la Butte cherchait fortune, d'ailleurs : *"Malgré que j'soye un roturier/ Le dernier des fils d'un Poirier/ D'la rue Berthe/ Depuis les temps les plus anciens/ Nous habitons, moi-z-et les miens/ A Montmartre"*. Le Chat noir fut aussi une revue littéraire, fondée par **Emile Goudeau**. Il n'y a pas de rue Rodolphe Salis, mais une place Emile-Goudeau. Elle est ci-contre.

Le Bateau-Lavoir

Un bateau-lavoir à Montmartre ? En fait, c'est le surnom donné à cette bâtisse sans grâce, mais dont l'intérieur et la charpente en bois évoquaient un bateau-lavoir. Situé rue Ravignan, sur la place appelée aujourd'hui Emile-Goudeau, le Bateau-Lavoir, construit en 1899 et d'abord appelé "la maison du trappeur", a servi d'atelier à la fine fleur du cubisme : Picasso, Juan Gris et le sculpteur Gargallo, sans compter les "visiteurs" Modigliani, Gleizes, Matisse, Derain, Dufy, Picabia, Robert Delaunay, etc., sans omettre des écrivains comme Max Jacob. Le bâtiment, dans un état déplorable, fut détruit par un incendie en 1970. Reconstruit en 1978, il abrite toujours des ateliers d'artistes. Une vitrine renseigne sur l'histoire du lieu.

Métro aérien

Autrefois, les locations de voitures étaient précisées "sans chauffeur", ce qui laissait à penser, et même faisait croire, aux enfants que les voitures roulaient sans le secours de quiconque. Le métro dit aérien est du même genre et l'on se demande toujours si les wagons ne vont pas s'envoler. D'ailleurs **Charles Trenet** y a songé : *"Miracle sans nom, à la station Javel/ On voit le métro qui sort de son tunnel/ Grisé de ciel bleu, de chansons et de fleurs/ Il court vers le bois, il court à toute vapeur"* suivi de l'inéluctable conclusion : *"Y'a d'la joie"*.

Georges Gabory n'est pas d'accord : *"Paris. Les citadins dans l'enfer du métro/ Vont prendre un bain de foule innombrable. Ils sont trop!/ Toujours de plus en plus pressés l'un contre l'autre/ Un seul corps, une seule chair eût dit l'Apôtre/ Et fût-il par hasard descendu sur le quai,/ Le Père la Pudeur en eût été choqué"*. Sans oublier que le métro mène à tout, y compris à l'irrémédiable : **Vladimir Volkoff** n'a-t-il pas écrit *Métro pour l'enfer*?

Gabory se trompe. Les Parisiens aiment leur métro, vaille que vaille et non sans humour : *"Si Des Esseintes, le héros d'*A rebours *de Huysmans, vivait parmi nous, il ne se choisirait plus une maison conçue pour ses plaisirs les plus raffinés, il achèterait un ticket de métro"*, note **Jean Tulard** qui trouve dans le sous-sol : *"la chaleur, fort appréciée l'hiver, […] tous les mets […] les parfums les plus divers. […] Les amateurs de musique sont les plus gâtés : tous les rythmes, tous les folklores, tous les instruments cohabitent. […] Pas de piano, en revanche, pour des raisons évidentes de transport. En période de calme, vous pouvez bénéficier du transistor de votre voisin et connaître les résultats du championnat de France de football. Eprouvez-vous le besoin d'une activité physique ? Changez à Montparnasse, quittez la ligne Nation-Etoile pour Orléans-Clignancourt; de longs couloirs vous assurent un jogging bienfaisant qui entretiendra votre souffle. […] Vous êtes friand d'exotisme ? L'Asie vous offre ses foules place d'Italie. Vous rêvez de souks ? Barbès-Rochechouart en restitue les splendeurs. La nostalgie de la savane vous étreint ? Un joueur de tam-tam l'apaisera à Montparnasse. […] Oui, on trouve tout dans le métro"*. Si **Gabory** n'aime pas le métro, c'est

sans doute qu'il y a laissé des regrets : *"Quand j'habitais Paris, je prenais le métro/ Un jour, dans un couloir, à Denfert-Rochereau/ Une dame apparaît soudain, la lèvre humide !/ Ah, cette station c'est un vrai*

Le métropolitain

Les usagers du métropolitain, quand ils débarquent à la station Montparnasse-Bienvenüe, peuvent s'imaginer qu'on la leur souhaite. Il s'agit, en fait, de Fulgence Bienvenüe, l'ingénieur en chef de la création du réseau. Les projets de chemin de fer souterrain pour désengorger Paris remontent à la commission spéciale du 11 novembre 1871, mais Bienvenüe révèle que c'est le projet de la ligne dite des Halles, de Brame et Flachat, en 1855, qui "fournit la première expression d'un chemin de fer urbain parisien". Inauguré le 19 juillet 1900 pour l'Exposition universelle, avec sa première ligne Vincennes-Maillot, le métro va tisser sa toile en sous-sol, parfois en surface, et devenir le maillage le plus serré de toutes les capitales.

pyramide/ Me dit-elle, et soudain la dame disparaît/ Non sans m'avoir touché du plus vif intérêt". Est-ce la faute du métro ? **Gabory** est bien obligé de reconnaître que le métro peut avoir son utilité : "*Et le samedi soir,*

dans l'ombre à La Chapelle [...] (Quand) la foule envahit les maisons d'abattage/ Il faudrait au 106 ajouter un étage;/ Armé de pied en cap, l'amour n'entend plus rien/ Pas même du métro le bruit aérien".

"Les costauds des Batignolles"

Le fantaisiste **Georgius** imagine, dans une de ses chansons, un séducteur pauvre qui, ne pouvant s'offrir une voiture à la manière d'un de ses autres personnages (*"Pour promener Mimi/ Ma p'tit'amie Mimi/ Et son jeune frère Toto/ J'ai une auto/ J'l'ai payée, trois cents balles/ Chez monsieur Hannibal/ Le marchand d'occasions d'la rue de Lyon/ Elle fait autant de bruit qu'un gros camion de cinq' tonnes/ Les gens m'entendent venir j'ai pas besoin d'klaxon"*), se fait conducteur d'autobus ; *"J'suis conducteur à la TCRP* (Transports en commun de la région parisienne, ancêtre de l'actuelle RATP, Régie autonome des transports parisiens)/ *J'ai ma bagnole et pas d'essence à payer/ C'est moi, c'est moi le grand Marius/ Qui conduit un autobus"*. Tout de suite, *"Il y a des bonniches/ Et des princesses russes/ Qui montent avec moi jusqu'au terminus"*, ou encore : *"Toutes les femm's prennent d'assaut ma voiture"*. Résultat : *" J'dois vendre maintenant mes carnets aux enchères/ Elle me disent : à ce soir, beau vainqueur/ Viens met' ton ticket dans mon p'tit composteur"*.

Paul-Jean Toulet est plus charmant : *"Nane, as-tu gardé souvenir/ Du Panthéon – Place Courcelles/ Qui roulait à cris de crécelle/ [...] De l'impériale au banc haut,/ Où se scandait comme un iambe/ La glissade avec le cahot,/ Et du vieux qui lorgnait tes jambes ?"*. Les dames des transports en commun, qu'elles les conduisent ou les empruntent – ou qu'elles les ramènent au dépôt – ont souvent stimulé l'imagination des hommes : *"Belle enfant qui montrez sans le dévoiler trop/ Ce pied nu j'ai bien fait d'emprunter le métro"* (**Philippe Pastorino**).

En 1951, à l'époque des autobus à plate-forme où l'on montait et d'où l'on descendait sans demander l'avis du receveur, sortit le film *Le Costaud des Batignolles* de **Guy Lecourt** sur un scénario de **Norbert Carbonneaux** et **Raymond Bussières**. De ce film, **Jean Tulard** écrit : *"Le pauvre livreur Jules a beau faire, il est toujours chétif. Jusqu'au jour où un baiser de Nénette lui donne une force inattendue. Samson et Dalila version comique"*. Une scène, surtout : après avoir embrassé sa femme, **Jules** court après l'autobus et agrippe la plate-forme : elle lui reste dans la main et s'écroule par terre pendant que le bus poursuit son chemin !

Le cimetière des autobus

Celui qui se rend à la porte Dorée, dans le XIIᵉ arrondissement, peut voir un autobus à plate-forme stationner non loin du métro. C'est une navette gratuite qui emmène sur place les visiteurs du musée des transports en commun de Saint-Mandé. Tramways, autobus, wagons de métro – dont les fameux Sprague, qui servaient il y a peu encore sur la ligne Nation-Etoile par Barbès – ne sont pas les seules curiosités. Un nombre très important de visiteurs est constitué par des retraités et même des agents en exercice qui viennent passionnément voir les modèles anciens et parfois, littéralement, les caresser.

De la Villette aux Buttes-Chaumont

Les moutons de la photo ci-contre se rendent à pattes à l'abattoir, celui de la Villette. Le député **Marcel Sembat** ne disait-il pas : *"Des majorités, j'en ai vu passer... à la Villette"*.

Du quartier de la Villette, **Bruant** nous dévoile les coulisses : *"Un soir elle rencontra/ Un boucher sans gigolette/ Qui voulut l'emmener à la Villette/ Mais les bouchers sont brutaux/ Elle reçut des torgnoles/ Puis une nuit s'enfuit/ A Batignolles"*, ce qui prouve qu'elle n'était pas un mouton qu'on égorge. Elle l'échappa belle car, dans une autre chanson, **Bruant** nous révèle : *"I'f'sait l'lit qu'i'défaisait pas/ Mais l'soir quand j'retirais mon bas/ C'est lui qui comptait la galette/ A la Villette"*. Et où cela mène-t-il ? *"Qu'on l'prenne grand ou petit, rouge ou brun/ On peut pas en conserver un/ I's'en vont tous à la Roquette/ A la Villette"*.

"Paris est une collection de villes autonomes et incommunicables dont chacune conserve jalousement ses traditions et ses failles" écrit **Edouard Estaunié** et c'est vrai que l'univers sans pitié de la Villette jouxte le parc des Buttes-Chaumont.

Aragon, dans *Le Paysan de Paris*, le décrit de manière précise et même studieuse, allant jusqu'à noter scrupuleusement les renseignements portés sur une colonne située dans le parc et qui donne le nombre d'asiles de nuit ou d'écoles communales, les lieux de culte, les commissariats, les perceptions, les pompiers, les PTT (cela se disait déjà ainsi) et même le nom du député. Mais **Aragon** est **Aragon** et, après avoir donné un titre romantique à son texte, *Le Sentiment de la nature aux Buttes-Chaumont*, il précise : *"Les Buttes-Chaumont levaient en nous un mirage, avec le tangible de ces phénomènes, un mirage commun"*. Le début du chapitre VII est, à cet égard, exemplaire : *"Le parc des Buttes-Chaumont vu de haut a la forme d'un bonnet de nuit"*.

Eugène Dabit ne donne pas dans la circonvolution : *"On est fier de ce parc, les autres arrondissements n'en ont pas de pareil. Il est vaste, accidenté, captivant, avec des coins dramatiques ou alpestres"*. **Mouloudji** est très proche de lui quand il déclame : *"Amoureux je fondais comme au kiosque à musique/ Par les jours de flon-flon dans les Buttes-Chaumont"*.

Porte de Pantin, autrefois porte de l'Allemagne

Les abattoirs de la Villette furent installés en 1859, en deux parties distinctes : le Marché aux bestiaux et les Abattoirs généraux, édifiés de 1865 à 1868. La fontaine qui s'y trouve encore – quoique peinte en bleu – est l'ancienne fontaine due à Girard, qui se trouvait en 1811 place du Château-d'Eau, l'actuelle place de la République. Les carrières de gypse des Buttes-Chaumont, exploitées depuis le Moyen Age, furent expropriées en 1863. Les architectes Alphand et Darcel firent le plan du futur parc pour l'exécutant Pierre Barillet-Deschamps (1866). Il fut inauguré en 1867. Les abattoirs ont été remplacés par une Cité des sciences et de l'industrie, une Cité de la Musique et une salle de concert. Le parc des Buttes-Chaumont est toujours là.

Par le quartier situé autour du métro Danube, par ces venelles heureusement protégées de la tourmente des années soixante-dix, qui emporta la place des Fêtes, par le square de la butte du Chapeau rouge, par les immeubles en briques rouges, les HBM (habitations à bon marché : *"On y faisait bon marché des vies"*

écrit **Dabit**), par cette ceinture rouge qui prit la place d'une ceinture verte, on parvint à un endroit rêvé par les chanteurs. **Brel** d'abord : *"Tu as un vrai divan de roi/ Un vrai divan de diva/ Du porto que tu rapportas/ De la porte des Lilas"*. Et **Brassens** ensuite : *"Comme j'étais en quelque sorte/ Amoureux de ces fleurs-là/*

Je suis entré par la porte/ Par la porte des Lilas". Il n'y pas si longtemps – à l'heure de la photo ci-contre –, **Arthur Rimbaud** aurait pu dire : *"Par les soirs bleus d'été, j'irai dans les sentiers/ Picoté par les blés, fouler l'herbe menue/ Rêveur, j'en sentirai la fraîcheur à mes pieds/ Je laisserai le vent baigner ma tête nue"*.

Belleville, Ménilmontant

"Pour les gens qui haïssent les bruyantes joies retenues toute la semaine et lâchées dans Paris, le dimanche; pour les gens qui veulent échapper aux fastidieuses opulences des quartiers riches, Ménilmontant sera toujours une terre promise, un Chanaan de douceurs tristes. [...] Dans cet immense quartier dont les maigres salaires vouent à d'éternelles privations les enfants et les femmes, la rue de la Chine et celles qui la rejoignent et la coupent, telles que la rue des Partants et cette étonnante rue Orfila, si fantastique avec ses circuits et ses brusques détours, avec ses clôtures de bois mal équarri, ses gloriettes inhabitées, ses jardins déserts revenus à la pleine nature, poussant des arbustes sauvages et des herbes folles, donnent une note d'apaisement et de calme unique" écrit **Joris-Karl Huysmans**.

Il fallait un chantre, un barde à ce quartier et ce fut **Maurice Chevalier**, *"Son canotier n'a d'égal que le cheval blanc d'Henri IV"* écrit **Pascal Sevran**. Maurice, "Momo", est né en 1888, 29, rue du Retrait, dans le XXᵉ arrondissement, puis il vécut rue Julien-Lacroix, sa mère ayant déménagé pour cause d'abandon par son mari. Il va sans dire que le quartier a beaucoup changé et que, si les logements d'aujourd'hui ont l'eau courante et les commodités, ils sont moins pittoresques.

Avant **Chevalier**, l'inévitable, mais jamais fâcheux, **Bruant** avait chanté le quartier : *"Papa, c'était un lapin/ Qui s'app'lait J.-B.Chopin/ Et qu'avait son domicile/ A Belleville/ L'soir avec sa p'tite famill'/ I's'baladait en chantant/ Des hauteurs de la Courtille/ A Ménilmontant"*. Terrible fatalité, le père meurt et les enfants doivent se débrouiller : *"Depuis c'est moi qu'est l'sout'neur/ Naturel à ma p'tit' sœur/ Qu'est l'ami d'la p'tit' Cécile/ A Belleville/ Qu'est soutenu par son grand frère/ Qui s'appelle Eloi Constant/ Qu'a jamais connu son père à Ménilmontant"*. **Chevalier**, qui fut pauvre, n'eut jamais la mentalité du mendiant. Il exalte la fierté de l'habitant du lieu : *"Les gars d'Ménilmontant/ Sont toujours remontants/ Même en redescendant/ Les rues de Ménilmuche"*.

En 1938, **Charles Trenet** écrit une chanson pour **Chevalier**, par hommage à celui qui reste le maître. **Chevalier**, peut-être piqué par la gloire de **Trenet** – mais il s'en défend dans ses passionnantes mémoires –,

la refuse et le natif de Narbonne reprend à son compte : *"Ménilmontant, mais oui, madame/ C'est là que j'ai laissé mon cœur/ C'est là que j'viens retrouver mon âme/ Toute ma flamme/ Tout mon bonheur/ Quand je revois ma p'tite église* (Notre-Dame-de-la-Croix)/ *Où les mariages allaient gaiement/ Quand je revois ma vieill' maison grise/ Où même la brise/ Parle d'antan !"*. Cette nostalgie de Belleville-Ménilmontant n'est pas l'apanage de la génération de **Chevalier**. Elle touche même les rockers.

Eddy Mitchell, dont au moins une chanson passera à la postérité (*La Dernière séance*, sur ce moment sociologique important : la disparition des cinémas de quartier. Cette chanson 100 % française – paroles et musique de **Claude Moine**/ **Eddy Mitchell** – servira de générique à l'émission de télévision), s'interroge : *"Où sont mes racines?/ Nashville ou Belleville?"*, se rappelle : *"J'allais voir Luis Mariano/ Dans le chanteur de Mexico/ [...] Et place des Fêtes/ Sur nos mobylettes/ On singeait James Dean"*. La nostalgie se fait plus pressante : *"J'allais rue des Solitaires/ A l'école de mon quartier/ A cinq heures j'étais sorti/ Mon père venait me chercher/ On voyait Gary Cooper/ Qui défendait l'opprimé"*. **Francis Lemarque**, qui n'est pas du lieu, mais de plus bas, à la Bastille, lorsqu'il passe ses vacances à Paris, révèle que *"Du haut de Ménilmontant/ On se croyait sur le Mont-Blanc"*.

Pendant qu'**Albert Mérat** chante *Un coin de fête à Ménilmontant* sur un mode triste, **François Coppée** célèbre le cimetière du Père-Lachaise sur un mode joyeux : *"Avis aux amateurs de la gaîté française :/ Le printemps fait neiger, dans le Père-Lachaise./ Les fleurs des marronniers sur les arbres muets/ Et la fosse commune est pleine de bleuets :/ Le liseron grimpeur fleurit les croix célèbres;/ Les oiseaux font l'amour près des bustes funèbres;/ Et l'on voit un joyeux commissaire des morts,/ Tricorne en tête et canne à la main, sans remords,/ Cueillir de ses doigts noirs, gantés de filoselle,/ Des bouquets pour sa dame et pour sa demoiselle"*. Il est alors temps de remonter vers les "hauteurs de la Courtille", à la frontière du XIXᵉ, et de célébrer : *"Ces maisons, cet arbre,/ Ce zinc? Bagnolet.../ C'est pas beau. Ça parle./ Ça dit "je suis laid"* (**Audiberti**).

Chez Casque d'or

Mesnil, qui signifiait habitation, et un Monsieur Maudan, propriétaire du lieu, firent Mesnil-Maudan, puis, sans doute à cause de la montée et du point de vue élevé, le village devint Ménilmontant. Jusqu'aux années soixante, Ménilmontant conserva en grande partie son apparence de village. S'il fut parfois logique de raser quelques maisons insalubres, rien ne justifiait d'en détruire des coins entiers, et ce, dès les années soixante, notamment l'escalier et la rue Vilin, visibles dans tant de films (Casque d'or, mais aussi Sous le ciel de Paris, Brigade anti-gang, Gigot, clochard de Belleville, etc.), la villa Ottoz, etc., et surtout, à Belleville, de raser la provinciale place des Fêtes pour lui substituer un assemblage de tours à l'esthétique agressive.

En revenant de l'Expo

Les Expositions universelles, qui ne datent pas d'hier, rendent bien des écrivains dubitatifs : *"Des gens interminables, défilant, pilonnant, écrasant l'exposition* (de 1900), *et puis ce trottoir roulant qui grinçait jusqu'à la galerie des machines, pleine, pour la première fois de métaux de torture, de menaces colossales, de catastrophes en suspens. La vie moderne commençait"* écrit **Louis-Ferdinand Céline**.

Gustave Flaubert n'aime pas non plus les Temps modernes : *"L'industrialisme a développé le laid dans des proportions gigantesques ! Combien de braves gens qui, il y a un siècle, eussent parfaitement vécu sans beaux arts et à qui il faut maintenant de petites statuettes, de petite musique, de petite littérature"*.

Edmond de Goncourt renchérit : *"Et l'on me demande pourquoi je n'aime pas les inventions modernes ? Parce qu'elles sont toutes ou dangereuses ou destructives du confort de la vie"* (1882).

Ce sont les chanteurs populaires des années trente qui vont mettre de la joie dans le thème. **Maurice Chevalier**, pour l'Exposition de 1937, chante : *"J'rencontre au pavillon d'Angleterre/ Une blonde exquise dont la vue me ravit/ Elle sortit, je sortis et je la suivis"*. Et là, il se lance dans un anglais de fabrication parigote, réjouissant mais farceur. La belle ne dit rien, *"Mais elle pénètre/ Dans l'pavillon italien/ Je pensais peut-être/ Qu'elle est de Rome ou de Turin"*. Rebelote ! **Chevalier** va successivement s'adresser à elle en italien, allemand, marocain (sic), chinois et papou, jusqu'à ce que *"Tu f'rais mieux, tu sais/ D'parler en français/ Aux langues exotiques/ Je n'entrave que couic/ […]/ Moi j'suis d'Montparno"*.

Georgius découvre les slogans de la nouvelle publicité : *"Pour un meuble qui doit durer/ Une seule adresse : le Mont d'Piété"* et donne un raccourci de la situation politique internationale : *"V'la les pavillons étrangers/ L'italien et l'anglais qui louchent/ Le russe et l'allemand à côté/ Conclusion les extrêmes se touchent"*.

Prémonition du Pacte germano-soviétique ? Et les badauds reviennent de l'Expo, comme d'autres, des années avant, revenaient de la revue *"pour voir et complimenter l'Armée française"*, *"Gais et contents"*, avant le terrible orage de 14-18…

Les Expositions universelles

Les Expositions universelles ont toujours existé. Elles s'appelaient foires, marchés, etc. L'universalité a été apportée par le raccourcissement des distances dû aux bateaux à vapeur et au chemin de fer. Il n'est donc pas étonnant que la France, à la pointe de l'industrie des chemins de fer, organise les premières Expositions universelles, notamment en 1867, 1889, 1900, 1937, sans oublier l'Exposition coloniale de 1931. Le projet d'en organiser une dans les années quatre-vingt ne rencontra pourtant pas un grand enthousiasme.

Aux Champs-Elysées

Avant d'emprunter *"la plus belle avenue du monde"*, il est agréable d'effectuer quelques circonvolutions dans le VIIIᵉ arrondissement, méconnu, écrasé en quelque sorte par la majesté de l'Arc de triomphe.

Par la Concorde, où **Jean-Paul Clébert** remarque que *"tous les jeudis en début d'après-midi, les gens font la queue au pied de la statue de Lille"* : c'est la visite des égouts. Par le Grand Palais où **Prévert** constate : *"Immense et rouge/ Au-dessus du Grand Palais/ Le soleil d'hiver apparaît/ Et disparaît"*. Par la Madeleine où **Bruant** observe que *"Ya des chouett's gens/ Qu'a des argents/ Et d'la bedaine/ Ya pas de lapins,/ Ya qu' des rupins/ A la Mad'leine"*. Par l'église Saint-Augustin où **Toulet** nous révèle un point d'histoire : *"Eglise de Saint-Augustin/ Au porche maigre, à l'ample dôme/ Dont les cloches seraient à Rome/ Beaucoup mieux qu'ici le matin/ Si ta circonspecte opulence/ Ignore cette violence/ Qui nous abîme en oraison/ C'est que Dieu même est resté triste/ Qu'on prît pour bâtir sa maison/ Un architecte calviniste"*. Par un cabaret déchu, le Bœuf sur le toit, mais à la mémoire tenace, dans lequel **Fargue** voit une *"sorte d'académie du snobisme qui donne en outre la clef d'une foule de liaisons, de contrats et de mouvements, tant littéraires que politiques ou sexuels"* et qui fait révéler des noms à **Georges Gabory** : *"Radiguet prodiguant sa jeunesse et sa grâce/ Et charmant tour à tour Montmartre et Montparnasse/ Avait laissé tomber le morne Moricand/ Pour offrir à Cocteau son cœur de pélican"*. Par tous les bars des Champs-Elysées qui ont surgi, nous dit **Fargue**, *"comme une équipe de coureurs"*, de quoi aussi faire *"une vraie flotte"*, *"où barbotines et jeunes gars ne se lassent pas de se jeter à la figure les trésors d'une érudition fraîchement puisée dans quelque* Dictionnaire de la conversation*"*.

Enfin, arrive le moment de voir l'Arc, de le contempler à la manière de **Sainte-Beuve** : *"J'aime Paris aux beaux couchants d'automne,/ Paris superbe aux couchants élargis,/ Quand sur les quais du soleil tout rougis,/ Le long des ponts, je m'arrête et m'étonne./ Rompant au fond la splendeur monotone,/ L'Arc de triomphe et ses pans obscurcis/ Semblent s'ouvrir au vainqueur de Memphis,/ Qui les emplit de l'or de sa couronne"*.

Champs-Elysées

L'allée du Roule, longue de 1826 mètres, devint avenue des Champs-Elysées en 1670. On voyait autrefois dans cette promenade le jardin Beaujon et le jardin Marbeuf qu'on avait disposé en hippodrome, quand, en 1667, Colbert fit ouvrir par Le Nôtre une avenue allant jusqu'au sommet de la butte dite de l'Etoile. Les Champs-Élysées n'ont pas toujours eu bonne réputation. Au contraire, périodiquement, l'avenue a connu des problèmes liés aux nombreux cabarets qui se sont installés dès le XVIIIᵉ siècle, ce qui est partiellement reconstitué dans le film de Sacha Guitry : Remontons les Champs-Elysées. *Malgré l'adjonction des réalisations de la Défense, la perspective de l'avenue demeure "la plus belle du monde".*

Au parc Monceau

Bien à l'aise entre la gare Saint-Lazare et la place de l'Etoile, entre le VIIIe et le XVIIe arrondissement, entre **Apollinaire** qui *"... aime la grâce de cette rue industrielle/ Située à Paris entre la rue Aumont-Thiéville et l'avenue des Ternes"* et **Jean Pellerin** : *"Silence. Les dernières rames/ Impatientes aux arrêts/ Vont porter les dernières dames/ Au terminus de Champerret"*, entre les bus (*"Batiplantes - Jardin des Gnolles !"* plaisante **Léon-Paul Fargue**) et les gares (*"Les velours du sommeil ont fui/ Vers quelles gares Saint-Lazare"* soupire **René Fallet**), s'étend, chic et tranquille, majestueuse et un peu hautaine, la plaine Monceau.

Ils s'en souviennent.

Germain Nouveau : *"... le soleil baisse, les petits pensionnats quittent les allées, les bonnes s'en vont lentes et distraites, et bientôt le jardin n'est plus troublé que par le bruit du chemin de fer de ceinture, qui, en s'arrêtant sous la grille du square* (des Batignolles), *juste en bas, fait un bruit positivement semblable à celui d'une meute de chiens, à qui on marche sur la patte"*. **Jules Romains** : *"La place* (de l'Europe) *est en métal et en fumée. A toute heure, quelque chose d'elle tremble ou s'envole"*.

"Chéri les jardins nous invitent/ Car ils ont besoin d'amoureux" chante **Jean Tranchant**. Pense-t-il au parc Monceau où **Yves Duteil** confesse ses premières amours, dans un décor simple et harmonieux : *"Au parc Monceau/ Entre les grilles et les arceaux/ Les enfants sages ont des cerceaux/ Au fil de l'eau/ Dissimulés dans les roseaux/ On entend piailler les oiseaux"* ?

Est-ce un jeu de piste auquel se livre **Mallarmé** : *"... la première plate-bande à droite, à qui entre au Parc par l'avenue de la reine Hortense"* ? Ou une autre saison, pour **Brigitte Level** : *"Le grand parc était blanc de neige./ Et les pelouses monotones./ Quand tout à coup – par quel manège ? –/ M'ont apparu des anémones.../ Un frais bouquet qui s'envolait. Bleu, rouge, rose, mauve et jaune/ Un bouquet qui se bousculait/ Nymphes fuyant devant quel faune ?/ Ce frais bouquet de parapluies/ Qui s'est engouffré par les grilles/ Abritait... ah ! si vite enfuies.../ Tout un essaim de jeunes filles/ Et le parc, un instant jardin/ Par la grâce des fleurs vivantes/ S'est vu désert orphelin/ Dans ses blancheurs lors décevantes..."* ?

L'appartement du duc

L'actuel jardin à l'anglaise a été conçu sur un ancien parc à la française, dessiné en 1769 par l'architecte Colignon pour le duc d'Orléans, le futur Philippe-Egalité. Le parc est recréé, sous la direction d'Alphand, architecte des jardins sous le second Empire, grâce au percement du boulevard Malesherbes (vers 1860). C'est Davioud qui dessine les grilles. La rotonde, dite d'Orléans, est un ancien bureau d'octroi de la barrière des Fermiers Généraux construit en 1788 par Ledoux, avec un appartement au premier étage pour le duc d'Orléans. Le parc honore les arts par les statues consacrées à Maupassant, Musset, Chopin, Gounod, etc.

Les beaux quartiers

Léon-Paul Fargue n'aime pas le nouveau Trocadéro construit en 1937 : *"Je ne m'habitue pas encore au chef-d'œuvre d'architecture hygiénique, au building de tempérance, au niagara de yoghourt, au Cromlech intelligent qui l'a supplanté"*. Et **Fargue** n'avait pas vu, pour ne parler que du XVIe arrondissement, la maison de la Radio (1963). Tout promeneur de Paris sait que le XVIe, si décrié – trop bourgeois pour les gens du peuple, trop snob pour ceux du VIIe –, recèle des coins charmants comme, par exemple, la maison de **Balzac**, rue Raynouard, quoique plus agréable à regarder depuis la rue Berton, où se trouvait la porte dérobée par laquelle l'écrivain fuyait ses créanciers. La rue Berton est reproduite, à l'identique, dans la bande dessinée *L'Affaire du collier*, d'**Edgar P. Jacobs**.

Le hameau Boileau, la villa Mulhouse, villages en miniature, ne font pas concurrence à la rue Mallet-Stevens, construite en 1927 par un architecte soucieux d'environnement ; la villa Beauséjour nous réjouit avec ses isbas, mais nous désole par l'état déplorable de la maison d'**Edmond de Goncourt** ; le castel Béranger, d'**Hector Guimard**, est une leçon des formes "modern style" ; les innombrables venelles du XVIe mènent à autant de surprises, comme à un musée du… vin, rue des Eaux.

Enfin, les poètes célèbrent les rues : *"L'enfer était rue George-Sand/ A main droite au rez-de-chaussée"* (**Aragon**) ; *"Ami, te souvient-il, au fond du paradis,/ De la gare d'Auteuil et des trains de jadis ?"* (**Verlaine**), le Point du Jour qui clôt l'arrondissement : *"Nous resterons au Point-du-Jour/ Dans cet hôtel à la semaine/ Où les péniches font l'amour/ Avec les berges de la Seine"* (**Toursky**), *"Le Point du Jour, le Point blanc de Paris,/ Le seul point blanc, grâce à tant de bâtisse/ Et neuve et laide et que je t'en ratisse,/ Le Point du Jour, aurore des paris !/ […] Il a raison, le vieux, car voyez donc/ Comme est joli toujours le paysage :/ Paris au loin, triste et gai, fol et sage,/ Et le Trocadéro, ce cas, au fond./ Puis la verdure et le ciel et les types/ Et la rivière obscène et molle, avec/ Des gens trop beaux, leur cigare à leur bec"* (**Verlaine**). Plus terre à terre, **Maurice Chevalier** assurait, de sa petite amie, *"qu'on l'entend du fond d'Passy/ Crier chéri !"*, mais nous n'ouvrirons pas plus les volets clos du XVIe arrondissement…

Auteuil et Passy

La rue du Ranelagh (ci-contre) n'a guère changé. Il est amusant de noter que la rue de Passy s'appela d'abord "la rue qui conduit au bois de Boulogne", puis la "grande rue". Un grand nombre de rues et venelles subsistent, même si l'urbanisation récente – particulièrement celle des années trente – les dissimule un peu, notamment la pittoresque rue des Eaux. On notera, dans le cimetière de Passy, l'exceptionnel monument funéraire orthodoxe de la femme peintre et écrivain Marie Bashkirtseff (1860-1884). Passy et Auteuil, pour peu qu'on ait envie de chercher, sont deux lieux originaux de promenade.

Avenue du Bois

Paris est dans Paris parce que rien n'y est vraiment nouveau, que chaque avenue, chaque boulevard n'est qu'un ancien chemin, élargi au fil des siècles ; les artères de Paris remontent souvent à l'occupation romaine. Mais l'avenue du Bois – aujourd'hui Foch – est très récente : elle fut créée de toutes pièces pour permettre à la population du IXe arrondissement, sous le second Empire, de gagner le bois de Boulogne. Le IXe – avec une partie du Xe – était le XVIe d'aujourd'hui. En voitures à cheval, par l'avenue et le boulevard qui se nomment maintenant Haussmann et Friedland, on gagnait l'Etoile, et l'avenue du Bois était le dernier jalon qui menait au bois.

Aller au bois… Par goût de la nature ? De la verdure ? *"Arbres mes frères et mes sœurs/ Nous sommes de même famille./ L'étrangeté se pousse en nous/ Jusqu'aux veinules, aux ramilles. Et nous comble de bout en bout"* (**Jules Supervielle**).

Se montrer est aussi une réponse ; s'exhiber est la réponse. Quoique dans ces bois, au cœur des fourrés, d'autres se cachent de la Maréchaussée : *"C'est une patrouille, attends-moi là/ Entretiens-toi pendant qu'elle passe"*. Des dames moins célèbres, moins élégantes, mais tout aussi légères, exhortent des hommes à se concentrer : *"Pense à une femme qu'aurait d'belles cuisses/ Ou bien pense à l'Impérarice"*. **Eugénie de Montijo**, pour qui mieux valait *"un remords qu'un regret"*, eut-elle vent de sa participation involontaire à ces bacchanales ?

La promenade avenue du Bois, *"Voilà ce qu'à Paris et dans beaucoup de ménages on appelle un dimanche à la campagne"* (**Germain Nouveau**). **Maurice Chevalier** y logea. Plus bas, à gauche, **Supervielle** célèbre le 47, boulevard Lannes : *"Boulevard Lannes, que fais-tu si haut dans l'espace/ Et tes tombereaux que tirent des percherons l'un derrière l'autre,/ Les naseaux dans l'éternité/ Et la queue balayant l'aurore ?/ Le charretier suit, le fouet levé/ Une bouteille dans sa poche./ Chaque chose a l'air terrestre et vit dans son naturel./ Boulevard Lannes, que fais-tu au milieu du ciel/ Avec tes immeubles de pierre que viennent flairer les années"*.

Et **Jacques Dutronc**, oubliant la porte Dauphine, chante : *"Je suis l'dauphin d'la plac' Dauphine"*…

De l'avenue du Bois au Bois de Boulogne

A l'instar de trop nombreux bois, parcs et jardins situés dans les villes, le bois de Boulogne contient de nombreux édifices qui rognent sur l'espace proprement vert. Ainsi, l'hippodrome d'Auteuil, celui de Longchamp avec son moulin, le stade Roland-Garros, le polo, le tir aux pigeons, un camping, un jeu de boules, le Jardin d'Acclimatation, le musée des Arts et Traditions populaires. Heureusement, le parc de Bagatelle, le fleuriste de la Ville de Paris, avec ses serres d'Auteuil, dont une tropicale, et le jardin des Poètes, où l'on peut lire des quatrains sur les stèles qui le parsèment, sont les heureuses – et parfois méconnues – surprises, les "cerises sur le gâteau".

Une folie

Le parc de Bagatelle est un îlot de sérénité au milieu d'une mer qui est parfois démontée : le bois de Boulogne. **Bruant** ne va pas au Bois par quatre chemins : *"Quand on cherche un' femme à Paris/ Maint'nant même en y mettant l'prix/ On n'rencontre plus qu' des débris/ Ou d'la charogne/ Mais pour trouver c'qu'on a besoin/ Il existe encore un bon coin/ C'est au bout d'Paris... pas ben loin/ Au Bois d'Boulogne/ C'est un bois qu'est vraiment rupin/ Quand on veut faire un bon chopin/ On s'y fait traîner en sapin/ Et sans vergogne/ On choisit tout le long du bois/ Car y a que d'la grenouille de choix/ Et y a même des gonzess's de rois !/ Au Bois d'Boulogne".*

On peut aussi se rendre au bois de Boulogne par des voies différentes, comme **Jules Romains** qui laisse éclater sa joie : *"Paris de l'Ouest ! Nouveaux boulevards qui bordent le Bois ;/ Tunnel palpitant et paré de la porte Dauphine".*

"Mais la nature est là qui t'invite et qui t'aime" rétorque **Alphonse de Lamartine**. Il est vrai qu'à Bagatelle, plus qu'ailleurs, elle imite l'art. Et **La Bruyère** écrit : *"C'est une politique sûre de laisser le peuple savourer la bagatelle"*, alors qu'à Bagatelle, ce sont les princes qui la savourent... en recréant la campagne rêvée, idéalisée, édénique, *a contrario* du conseil prodigué par **Alfred de Vigny** : *"Pars courageusement, laisse toutes les villes ;/ Ne ternis plus tes pieds aux poudres du chemin ;/ Du haut de nos pensers vois les cités serviles/ Comme les rocs fatals de l'esclavage humain./ Les grands bois et les champs sont de vastes asiles,/ Libres comme la mer autour des sombres îles./ Marche à travers les champs une fleur à la main".* **Baudelaire**, comme souvent, met tout le monde d'accord : *"La Nature est un temple où de vivants piliers/ Laissent parfois sortir de confuses paroles ;/ L'homme y passe à travers des forêts de symboles/ Qui l'observent avec des regards familiers./ Comme de longs échos qui de loin se confondent/ Dans une ténébreuse et profonde unité,/ Vaste comme la nuit et comme la clarté,/ Les parfums, les couleurs et les sons se répondent".*

Et, pour boucler la boucle, en 1905, à Bagatelle, **Jean-Claude Nicolas Forestier** compose des palettes de fleurs, en hommage aux impressionnistes et à son ami **Claude Monet**.

Bagatelle

Le parc de Bagatelle est une folie dans les deux sens du terme. Folie, car le comte d'Artois paria avec Marie-Antoinette qu'il ferait reconstruire le domaine, en piteux état, dans un délai de deux mois ! Il gagna son pari entre le 21 septembre et le 26 novembre 1777. En employant, il est vrai, neuf cents ouvriers, travaillant nuit et jour sous la direction de Bélanger. Folie également, dans le sens explicité par Littré : "Se dit de certaines maisons de plaisir auxquelles on adjoint le nom de celui qui les a fait construire ou du lieu dans lequel elles sont situées". La maréchale d'Estrées y organisa des fêtes galantes mais utiles entre 1720 et 1745... Epargné par la Révolution, Bagatelle bénéficia de plusieurs protecteurs et mécènes : le duc de Berry, lord Seymour, ami de Napoléon III, et Richard Wallace, fils adoptif du précédent et donateur des fontaines qui portent son nom. Bagatelle a été acheté par la Ville de Paris en 1905.

Sur le pont Mirabeau

On connaît l'histoire du jeune archiduc devant qui on abat un aigle et qui s'écrie, dépité, le voyant à terre : *"Mais il n'a qu'une tête !"*. C'est un peu l'effet que procure la vision "en vrai" du pont Mirabeau à un adolescent grisé par les vers d'**Apollinaire** et qui se rend sur place pour le voir. Le pont est banal, quoique dans des proportions nullement désagréables. C'est que l'amour nous dicte nos goûts à travers nos souvenirs et que nos amours nous lient à des lieux parfois sublimes, souvent banals, quelquefois étrangement saugrenus mais qui sont magnifiés par notre désir surévalué. *"Sous le pont Mirabeau coule la Seine/ Et nos amours/ Faut-il qu'il m'en souvienne/ La joie venait toujours après la peine/ Vienne la nuit sonne l'heure/ Les jours s'en vont je demeure"* et l'on sait et l'on sent que "l'eau courante" évoquée pourrait venir d'autres fleuves, d'autres cours d'eau, d'autres sources. En mettant ce poème en musique, **Léo Ferré** l'a incontestablement fait découvrir à un très large public. C'était la mode, à cette époque, et **Brassens** mettait en musique **Aragon** et **Francis Jammes** sur la même mélodie, pendant que **Gainsbourg** faisait du sonnet d'Arvers un rock ! Il n'est pas inintéressant de rappeler que **Michèle Arnaud** chanta *Le Pont Mirabeau*, dès mars 1955, sur une musique d'**André Lasry**.

Il n'est donc pas interdit non plus de mettre ses pas dans ceux d'**Apollinaire**, ce que fait **Daniel Ancelet** : *"C'était hier, je me rappelle/ J'ai savouré ce fruit tout chaud/ Ta bouche au goût de mirabelle/ Un soir sur le pont Mirabeau/ Au soleil tu étais belle/ Que ton ombre me rendait beau/ Qu'importe, je battais de l'aile/ A respirer près de ta peau !/ […] Mais sur notre histoire immortelle/ Qui donc a baissé le rideau ?/ L'amour est mort, es-tu donc celle/ Qui là-bas promène un marmot/ Bête de somme qui s'attelle/ Aux brancards dorés d'un landau/ Et s'occupe de varicelle/ En chantant dodo, l'enfant do ?/ […] A ton souvenir je chancelle/ Tandis que monte un lourd sanglot/ Car il n'est plus de mirabelle/ A cueillir au pont Mirabeau"*. Avec **Laurent Tailhade**, la Seine continue de couler : *"Sur le petit bateau-mouche/ Les bourgeois sont entassés,/ Avec les enfants qu'on mouche,/ Qu'on ne mouche pas assez./ Combien qu'autour d'eux la Seine/ Regorge de chiens crevés,/ Ils jugent la brise saine/ Dans les Billancourts rêvés"*.

Le pont Mirabeau

Le pont Mirabeau, comme tout pont de Paris, est placé sous la responsabilité conjointe des deux arrondissements qui se font face de chaque côté de la Seine. Le pont Mirabeau relie le XVᵉ au XVIᵉ. Il fut construit entre 1893 et 1896 sous la direction de l'ingénieur en chef Rabel, assistant des ingénieurs Résal et Alby. On peut noter, sur l'unique arche de 180 mètres de long, des sculptures colossales dues à Jean-Antoine Injalbert et représentant, de manière allégorique, le Génie du commerce, la Navigation, la Ville de Paris et l'Abondance.

Ballade des femmes de Paris

Quoi qu'on tient belles langagères
Florentines, Vénitiennes,
Assez pour être messagères,
Et mêmement les anciennes ;
Mais, soyent Lombardes, Romaines,
Gènevoises, à mes périls,
Piémontaises, Savoisiennes,
Il n'est bon bec que de Paris.

De très beau parler tiennent chaires,
Ce dit-on, les Napolitaines,
Et sont très bonnes caquetières
Allemandes et Prussiennes ;
Soyent Grecques, Egyptiennes,
De Hongrie ou d'autres pays,
Espagnoles ou Catalennes,
Il n'est bon bec que de Paris.

Brettes, Suisses, n'y savent guère,
Gasconnes, n'aussi Toulousaines :
Du Petit Pont deux harengères
Les concluront, et les Lorraines,
Anglaises et Calaisiennes,
(Ai-je beaucoup de lieux compris ?)
Picardes de Valenciennes ;
Dedans Paris, Ville jolie,

Il n'est bon bec que de Paris
Prince, aux dames Parisiennes
De beau parler donne le prix ;
Quoi qu'on die d'Italiennes,
Il n'est bon bec que de Paris.

François VILLON,
1431-1463, *Le Testament*

De sa grande amie

Dedans Paris, Ville jolie,
Un jour passant mélancolie :
Je prins alliance nouvelle
A la plus gaye Damoyselle
Qui soit d'icy en Italie.
D'honnesté elle est saisie
Et croy (selon ma fantasie)
Qui n'en est gueres de plus belle
   Dedans Paris

Je ne la vous nommeray mie,
Si non, que c'est ma grand'Amye,
Car l'alliance se fait telle,
Par un doux baiser, que j'eus d'elle,
Sans penser aucune infamie.
   Dedans Paris.

Clément MAROT,
1496-1544, *Œuvres*

La Esmeralda

CLAUDE FROLLO,
CLOPIN TROUILLEFOU,
PUIS LA ESMERALDA,
PUIS QUASIMODO. - LES TRUANDS.

CHŒUR DES TRUANDS

Vive Clopin, roi de Thune !
Vivent les gueux de Paris!
Faisons nos coups à la brune,
Heure où tous les chats sont gris.
Dansons ! narguons pape et bulle,
Et raillons-nous dans nos peaux
Qu'avril mouille ou que juin brûle
La plume de nos chapeaux !
Sachons flairer dans l'espace
L'estoc de l'archer vengeur,
Ou le sac d'argent qui passe
Sur le dos du voyageur !
Nous irons au clair de lune
Danser avec les esprits...
Vive Clopin, roi de Thune !
Vivent les gueux de Paris !

Victor HUGO,
La Esmeralda, Acte I, scène 1.

A l'Arc de Triomphe de l'Etoile

La France a des palais, des tombeaux, des portiques,
De vieux châteaux tout pleins de lumières antiques,
Héroïques joyaux conquis dans les dangers ;
Sa pieuse valeur, prodigue en fiers exemples,
  Pour parer ses superbes temples,
  Dépouille les camps étrangers.

On voit dans ses cités, de monument peuplées,
Rome et ses dieux, Memphis et ses noirs mausolées ;
Le lion de Venise en leurs murs a dormi ;
Et quand, pour embellir nos vastes Babylones,
  Le bronze manque à ses colonnes,
  Elle en demande à l'ennemi ! [...]

Arc triomphal ! la foudre, en terrassant ton maître,
Semblait avoir frappé ton front encore à naître.
Par nos exploits nouveaux te voilà relevé !
Car on n'a pas voulu dans notre illustre armée,
  Qu'il fût de renommée
  Un monument inachevé !

Dis aux siècles le nom de leur chef magnanime.
Qu'on lise sur ton front que nul laurier sublime
A des glaives français ne peut se dérober.
Lève-toi jusqu'aux cieux, portique de victoire !
  Que le géant de notre gloire
  Puisse passer sans se courber !

Victor HUGO,
Odes et ballades

A l'Arc de Triomphe

Oh ! Paris est la cité mère !
Paris est le lieu solennel
Où le tourbillon éphémère
Tourne sur un centre éternel !
Paris ! feu sombre ou pure étoile !
Morne Isis couverte d'un voile !
Araignée à l'immense toile
Où se prennent les nations !
Fontaine d'urnes obsédée !
Mamelle sans cesse inondée
Où pour se nourrir de l'idée
Viennent les générations !

Quand Paris se met à l'ouvrage
Dans sa forge aux mille clameurs,
A tout peuple, heureux, brave ou sage,
Il prend ses lois, ses dieux, ses mœurs.
Dans sa fournaise, pêle-mêle,
Il fond, transforme et renouvelle
Cette science universelle
Qu'il emprunte à tous les humains ;
Puis il rejette aux peuples blêmes
Leurs sceptres et leurs diadèmes,
Leurs préjugés et leurs systèmes,
Tout tordus par ses fortes mains !

Paris, qui garde, sans y croire,
Les faisceaux et les encensoirs,
Tous les matins dresse une gloire,
Eteint un soleil tous les soirs ;
Avec l'idée, avec le glaive,
Avec la chose, avec le rêve,
Il refait, recloue et relève
L'échelle de la terre aux cieux ;
Frère des Memphis et des Romes
Il bâtit au siècle où nous sommes
Une Babel pour tous les hommes,
Un Panthéon pour tous les dieux !

Ville qu'un orage enveloppe !
C'est elle, hélas ! qui, nuit et jour,
Réveille le géant Europe
Avec sa cloche et son tambour !
Sans cesse, qu'il veille ou qu'il dorme,
Il entend la cité difforme
Bourdonner sur sa tête énorme
Comme un essaim dans la forêt.
Toujours Paris s'écrie et gronde.
Nul ne sait, question profonde,
Ce que perdrait le bruit du monde
Le jour où Paris se tairait !

Victor HUGO,
1802-1885, *Les Voies intérieures*

Sonnet

J'aime Paris aux beaux couchants d'automne,
Paris superbe aux couchants élargis,
Quand sur les quais du soleil tout rougis,
Le long des ponts, je m'arrête et m'étonne.

Rompant au fond la splendeur monotone,
L'Arc de triomphe et ses pans obscurcis
Semblent s'ouvrir au vainqueur de Memphis,
Qui les remplit de l'or de sa couronne.

Mieux qu'un vainqueur, c'est un Roi-Mage encor,
Qui, vieillissant, verse tout son trésor ;
Ou c'est Homère épanchant l'Odyssée,

Car ce matin j'en lisais de doux chants
Et je m'en vais mêlant dans ma pensée
Avec Paris Ithaque aux beaux couchants.

SAINTE-BEUVE,
1804-1869, *Pensées d'août*

L'Obélisque de Paris

Sur cette place je m'ennuie,
Obélisque dépareillé ;
Neige, givre, bruine et pluie
Glacent mon flanc déjà rouillé ;

Et ma vieille aiguille, rougie
Aux fournaises d'un ciel de feu,
Prend des pâleurs de nostalgie
Dans cet air qui n'est jamais bleu.

Devant les colosses moroses
Et les pylônes de Luxor,
Près de mon frère aux teintes roses
Que ne suis-je debout encor,

Plongeant dans l'azur immuable
Mon pyramidion vermeil,
Et de mon ombre, sur le sable,
Ecrivant les pas du soleil !

Rhamsès, un jour mon bloc superbe,
Où l'éternité s'ébréchait,
Roula, fauché comme brin d'herbe,
Et Paris s'en fit un hochet.

La sentinelle granitique,
Gardienne des énormités,
Se dresse entre un faux temple antique
Et la Chambre des Députés.

Sur l'échafaud de Louis Seize,
Monolithe au sens aboli,
On a mis mon secret, qui pèse
Le poids de cinq mille ans d'oubli.

Les moineaux francs souillent ma tête,
Où s'abattaient dans leur essor
L'ibis rose et le gypaète
Au blanc plumage, aux serres d'or.

La Seine, noir égout des rues,
Fleuve immonde fait de ruisseaux,
Salit mon pied, que dans ses crues
Baisait le Nil, père des eaux.

Le Nil, géant à barbe blanche
Coiffé de lotus et de joncs,
Versant de son urne qui penche
Des crocodiles pour goujons !

Les chars d'or étoilés de nacre
Des grands pharaons d'autrefois
Rasaient mon bloc heurté du fiacre
Emportant le dernier des rois.

Jadis, devant la pierre antique,
Le pschent au front, les prêtres saints
Promenaient la bari mystique
Aux emblèmes dorés et peints ;

Mais aujourd'hui, pilier profane
Entre deux fontaines campé,
Je vois passer la courtisane
Se renversant dans son coupé.

Je vois, de janvier à décembre,
La procession des bourgeois,
Les Solons qui vont à la Chambre,
Et les Arthurs qui vont au Bois.

Oh ! dans cent ans, quels laids squelettes
Fera ce peuple impie et fou,
Qui se couche sans bandelettes
Dans des cercueils que ferme un clou,

Et n'a pas même d'hypogées
A l'abri des corruptions,
Dortoirs où, par siècles rangées,
Plongent les générations !

Sol sacré des hiéroglyphes
Et des secrets sacerdotaux,
Où les sphinx s'aiguisent les griffes
Sur les angles des piédestaux,

Où sous le pied sonne la crypte,
Où l'épervier couve son nid,
Je te pleure, ô ma vieille Egypte,
Avec des larmes de granit !

Théophile GAUTIER,
Poésies

Soleil couchant

Notre-Dame,
Que c'est beau !
Victor Hugo

En passant sur le pont de la Tournelle, un soir,
Je me suis arrêté quelques instants pour voir
Le soleil se coucher derrière Notre-Dame.
Un nuage splendide à l'horizon de flamme,
Tel qu'un oiseau géant qui va prendre l'essor,
D'un bout du ciel à l'autre ouvrait ses ailes d'or ;
– Et c'étaient des clartés à baisser la paupière.
Les tours au front orné de dentelles de pierre,
Le drapeau que le vent fouette, les minarets
Qui s'élèvent pareils aux sapins des forêts,
Les pignons tailladés que surmontent des anges
Aux corps roides et longs, aux figures étranges,
D'un fond clair ressortaient en noir ; l'Archevêché,
Comme au pied de sa mère un jeune enfant couché,
Se dessinait au pied de l'église, dont l'ombre
S'allongeait à l'entour mystérieuse et sombre.
– Plus loin, un rayon rouge allumait les carreaux
D'une maison du quai : l'air était doux ; les eaux
Se plaignaient contre l'arche à doux bruit, et la vague
De la vieille cité berçait l'image vague ;
Et moi, je regardais toujours, ne songeant pas
Que la nuit étoilée arrivait à grands pas.

Théophile GAUTIER,
1811-1872, *Poésies*

Le cygne

A Victor Hugo

I

Andromaque, je pense à vous ! Ce petit fleuve,
Pauvre et triste miroir où jadis resplendit
L'immense majesté de vos douleurs de veuve,
Ce Simoïs menteur qui par vos pleurs grandit,

A fécondé soudain ma mémoire fertile,
Comme je traversais le nouveau Carrousel.
Le vieux Paris n'est plus (la forme d'une ville
Change plus vite, hélas ! que le cœur d'un mortel) ;

Je ne vois qu'en esprit tout ce camp de baraques,
Ces tas de chapiteaux ébauchés et de fûts,
Les herbes, les gros blocs verdis par l'eau des flaques,
Et, brillant aux carreaux, le bric-à-brac confus.

Là s'étalait jadis une ménagerie ;
Là je vis, un matin, à l'heure où sous les cieux
Froids et clairs le Travail s'éveille, où la voirie
Pousse un sombre ouragan dans l'air silencieux,

Un cygne qui s'était évadé de sa cage,
Et, de ses pieds palmés frottant le pavé sec,
Sur le sol raboteux traînait son blanc plumage.
Près d'un ruisseau sans eau la bête ouvrant le bec

Baignait nerveusement ses ailes dans la poudre,
Et disait, le cœur plein de son beau lac natal :
"Eau, quand donc pleuvras-tu ? quand tonneras-tu, foudre ?"
Je vois ce malheureux, mythe étrange et fatal,

Vers le ciel quelquefois, comme l'homme d'Ovide,
Vers le ciel ironique et cruellement bleu,
Sur son cou convulsif tendant sa tête avide,
Comme s'il adressait des reproches à Dieu !

II

Paris change ! mais rien dans ma mélancolie
N'a bougé ! palais neufs, échafaudages, blocs,
Vieux faubourgs, tout pour moi devient allégorie,
Et mes chers souvenirs sont plus lourds que des rocs.

Aussi devant ce Louvre une image m'opprime :
Je pense à mon grand cygne, avec ses gestes fous,
Comme les exilés, ridicule et sublime,
Et rongé d'un désir sans trêve ! et puis à vous,

Andromaque, des bras d'un grand époux tombée,
Vil bétail, sous la main du superbe Pyrrhus,
Auprès d'un tombeau vide en extase courbée ;
Veuve d'Hector, hélas ! et femme d'Hélénus !

Je pense à la négresse, amaigrie et phtisique,
Piétinant dans la boue, et cherchant, l'œil hagard,
Les cocotiers absents de la superbe Afrique
Derrière la muraille immense du brouillard ;

A quiconque a perdu ce qui ne se retrouve
Jamais, jamais ! à ceux qui s'abreuvent de pleurs
Et tettent la Douleur comme une bonne louve !
Aux maigres orphelins séchant comme des fleurs !

Ainsi dans la forêt où mon esprit s'exile
Un vieux Souvenir sonne à plein souffle du cor !
Je pense aux matelots oubliés dans une île,
Aux captifs, aux vaincus !... à bien d'autres encor !

Charles BAUDELAIRE,
Tableaux parisiens, Les Fleurs du mal

Ebauche d'un épilogue
pour la deuxième édition des "Fleurs du mal"

Tranquille comme un sage et doux comme un maudit,
                                    … j'ai dit :

Je t'aime, ô ma belle, ô ma charmante…
Que de fois…
Tes débauches sans soif et tes amours sans âme,
Ton goût de l'infini
Qui partout, dans le mal lui-même, se proclame,

Tes bombes, tes poignards, tes victoires, tes fêtes,
Tes faubourgs mélancoliques,
Tes hôtels garnis,
Tes jardins pleins de soupirs et d'intrigues,
Tes temples vomissant la prière en musique,
Tes désespoirs d'enfant, tes jeux de vieille folle,
Tes découragements ;

Et tes feux d'artifice, éruptions de joie,
Qui font rire le Ciel, muet et ténébreux.

Ton vice vénérable étalé dans la soie,
Et ta vertu risible, au regard malheureux,
Douce, s'extasiant au luxe qu'il déploie…

Tes principes sauvés et tes lois conspuées,
Tes monuments hautains où s'accrochent les brumes,
Tes dômes de métal qu'enflamme le soleil,
Tes reines de théâtre aux voix enchanteresses,
Tes tocsins, tes canons, orchestre assourdissant,
Tes magiques pavés dressés en forteresses,

Tes petits orateurs, aux enflures baroques,
Prêchant l'amour, et puis tes égouts pleins de sang,
S'engouffrant dans l'Enfer comme des Orénoques,
Tes anges, tes bouffons neufs aux vieilles défroques.
Anges revêtus d'or, de pourpre et d'hyacinthe.
Ô vous, soyez témoins que j'ai fait mon devoir
Comme un parfait chimiste et comme une âme sainte.

Car j'ai de chaque chose extrait la quintessence,

Tu m'as donné ta boue et j'en ai fait de l'or.

Charles BAUDELAIRE,
Les Fleurs du mal

Le crépuscule du matin

La diane chantait dans les cours des casernes,
Et le vent du matin soufflait sur les lanternes.

C'était l'heure où l'essaim des rêves malfaisants
Tord sur leurs oreillers les bruns adolescents ;
Où, comme un œil sanglant qui palpite et qui bouge,
La lampe sur le jour fait une tache rouge ;
Où l'âme, sous le poids du corps revêche et lourd,
Imite les combats de la lampe et du jour.

Comme un visage en pleurs que les brises essuient,
L'air est plein du frisson des choses qui s'enfuient,
Et l'homme est las d'écrire et la femme d'aimer.
Les maisons çà et là commençaient à fumer
Les femmes de plaisir, la paupière livide,
Bouche ouverte, dormaient de leur sommeil stupide ;
Les pauvresses, traînant leurs seins maigres et froids,
Soufflaient sur leurs tisons et soufflaient sur leurs doigts.

C'était l'heure où parmi le froid et la lésine
S'aggravent les douleurs des femmes en gésine ;
Comme un sanglot coupé par un sang écumeux,
Le chant du coq au loin déchirait l'air brumeux ;
Une mer de brouillards baignait les édifices,
Et les agonisants, dans le fond des hospices,
Poussaient leur dernier râle en hoquets inégaux.
Les débauchés rentraient, brisés par leurs travaux.

L'aurore grelottante en robe rose et verte
S'avançait lentement sur la Seine déserte,
Et le sombre Paris, en se frottant les yeux,
Empoignait ses outils, vieillard laborieux.

Charles BAUDELAIRE, 1821-1867
Tableaux parisiens, Les Fleurs du mal

BIBLIOGRAPHIE

TEXTES

ANCELET Daniel - *Un oiseau dans le cœur*, 1997 ; *Une flûte dans les bois*, Librairie Racine, 1988

APOLLINAIRE Guillaume - *Alcools*, Gallimard

ARAGON Louis - *Le Paysan de Paris*, Gallimard, 1926 *; Il ne m'est Paris que d'Elsa*, Seghers, 1975

ARNOUX Alexandre - *Paris sur Seine*, Grasset, 1964

AUDIARD Michel - *Le Petit cheval de retour*, Julliard, 1975

AUDIBERTI - *Toujours*, Gallimard, 1943

AZNAVOUR Charles - *Mes chansons préférées*, Christian Pirot, 2000

BAUDELAIRE Charles - *Œuvres complètes*, L'intégrale, Seuil, 1968, *Curiosités esthétiques*, Editions de l'Œil ; *Le spleen de Paris*, Editions L.H.S, 1945

BÉALU Marcel - *Amour me cède celle que j'aime*, Seghers

BERTRAND Aloysius - *Gaspard de la Nuit*

BRASSENS Georges - *Poésies et chansons*, par Alphonse Bonnnafé, Seghers, 1963 ; *Brassens*, Lieu commun, 1991

BRAUQUIER Louis - *Je connais ces îles lointaines*, La Table ronde, 1994

BREL Jacques - *Œuvre intégrale*, Robert Laffont, 1982

BRETON André - *L'Amour fou ; Nadja*, Gallimard, 1964

BRUANT Aristide - *Chansons de la rue*, Club français du livre, 1959

CARCO Francis - *La Bohème et mon cœur ; La Romance de Paris*, Albin Michel

CÉLINE Louis-Ferdinand - *Hommage à Emile Zola*, Denoël et Steele, 1936

CENDRARS Blaise - *Poésies complètes*, Gallimard, 1989

CLÉBERT Jean-Paul - *Paris insolite*, Denoël, 1952

DABIT Eugène - *Faubourgs de Paris*, Gallimard, 1990 ; *Ville lumière*, Le Dilettante, 1989

DAUDET Léon - *Paris vécu*, Gallimard, 1929 *; Souvenirs et polémiques*, Bouquins, Robert Laffont, 1992

DECAUNES Luc - *Le Droit de regard*, Seghers

FALLET René - *Chromatiques*, Mercure de France

FARGUE Léon-Paul - *Le Piéton de Paris*, Gallimard, 1939 *; Déjeuners de soleil*, Gallimard , 1942

FOMBEURE Maurice - *Greniers des saisons*, Seghers

FORT Paul - *Ballades françaises*, Flammarion, 1931

FRÉNAUD André - *Il n'y a pas de paradis*, Gallimard, 1942

GABORY Georges - *Mesures pour mesures*, Firmin-Didot, 1981

GALTIER-BOISSIÈRE Jean - *Mémoires d'un Parisien*, Quai Voltaire, 1994

GRIPARI Pierre - *Les Chants du nomade*, L'Age d'Homme, 1982

GONCOURT Edmond de - *Journal*, Bouquins, Robert Laffont, 1989

HUGO Victor - *Œuvres complètes*, Girard, Editeurs à Paris

HUYSMANS Joris-Karl - *Croquis parisiens, A rebours*

JACOB Max - *Le Laboratoire central*, Gallimard, 1980

JOUVE Pierre Jean - *La Vierge de Paris*, Mercure de France, 1996

LÉAUTAUD Paul - *Journal littéraire*, Mercure de France, 1986

LEMARQUE Francis - *A Paris*, Christian Pirot, 1999

LEVEL Brigitte - *L'oiseau bonheur*, 1973

MAC ORLAN Pierre - *Poésies documentaires complètes*, Gallimard, 1982 ; *Rue Saint-Vincent*, Editions du Capitole, 1928

MATZNEFF Gabriel - *Boulevard Saint-Germain*, Editions du Rocher, 1998

MÉRAT Albert - *Tableaux parisiens*

MEYER Philippe - *Paris la Grande*, Flammarion, 1997

MILOSZ O.-V. de L. - *Adramandoni*, André Silvaire

MORAND Paul - *Paris*, Bibliothèque des Arts

MUSELLI Vincent - *Œuvres poétiques*, Points et Contrepoints, 1967

NOUVEAU Germain - *Fantaisies parisiennes*, Gallimard, La Pléiade

PLUMYÈNE Jean - *Trajets parisiens*, Julliard, 1984

PONCHON Raoul - *Gazettes rimées*, Lardanchet, 1947

PRÉVERT Jacques - *Histoires ; Paroles*, Gallimard, 1949

RESTIF DE LA BRETONNE - *Les Nuits de Paris*

REVERDY Pierre - *Quelques poèmes*, Gallimard, 1989

RIMBAUD Arthur - *Œuvres poétiques*, Garnier Flammarion,1964

ROMAINS Jules - *Amour couleur de Paris ; Le voyage des amants*, Gallimard

SALMON André - *Saint-André ; Carreaux ; Vénus dans la balance ; Créances*, Gallimard

SAMAIN Albert - *Le chariot d'Or*, Mercure de France

SOUPAULT Philippe - *Odes*, Seghers

SUPERVIELLE Jules - *Gravitations*, Gallimard

TAILHADE Laurent - *Poèmes aristophanesques*, Mercure de France

THIRY Marcel - *Ages*, Seghers

TOULET Paul-Jean - *Œuvres complètes*, Bouquins, Robert Laffont, 1986

VENAILLE Franck - *Papiers d'identité*, Oswald

VERLAINE Paul - *Poèmes saturniens*, Messein

YONNET Jacques - *Rue des Maléfices*, Phébus, 1987

ANTHOLOGIES ET ETUDES

CAIN Georges - *Nouvelles promenades dans Paris*, Flammarion

CALI François - *Sortilèges de Paris*, Arthaud, 1952

CARACALLA Jean-Paul - *Montmartre*, Pierre Bordas et fils, 1995

CASTELNEAU Jacques - *En remontant les Grands boulevards*, Le livre contemporain, 1960

COULON Marcel - *Toute la muse de Ponchon*, La Tournelle, 1938

DEFORGES Régine et BARD Patrick - *Paris chansons*, Spengler, 1993

DELORME Jean-Claude - *Les villas d'artistes à Paris*, Editions de Paris, 1987

DELVAILLE Bernard - *Mille et cent ans de poésie française*, Bouquins, Robert Laffont, 1991

DUBOIS Claude - *La Bastoche*, Editions du Félin, 1997

FOUCHER Max-Pol - *De l'amour au voyage,* Seghers, 1958

FRÉBOURG Olivier - *Maupassant, le clandestin*, Mercure de France, 2000

GAXOTTE Pierre, de l'Académie française - *L'Académie française*, Hachette, 1965

GUERRAND R.-H. - *Le Métro*, Le Temps, 1968

HERBERT Michel - *La Chanson à Montmartre*, La Table ronde, 1967

LES ÉCHOS DE LA RÉPUBLIQUE DE MONTMARTRE, 1929

LIVIO Robert - *Tavernes, estaminets, guinguettes et cafés d'antan et de naguère*, Pont Royal, 1961

MALTETE René - *Paris des rues et des chansons*, Pierre Bordas, 1995

MARTIN Hervé - *Guide de l'architecture moderne à Paris*, Editions Alternatives, 1986

MERCIER Louis-Sébastien - *Le tableau de Paris*, E. Dentu, 1889

PARIS, Bibliothèque de l'image, 1995

PARIS, SES POÈTES, SES CHANSONS, Anthologie composée par Bernard Delvaille, Seghers, 1977

RÉDA Jacques et SORIANO Marc - *Le chemin de fer de petite ceinture de Paris*, Pierre Fanlac, 1981

ROMI - *Amoureux de Paris,* Odé, 1961

TROUILLEUX Rodolphe - *Paris secret et insolite*, Parigramme, 1996

VIAN Boris - *Manuel de Saint-Germain-des-Prés*, Pauvert, 1997

VITOUX Frédéric - *Mes îles Saint-Louis*, Chêne/Hachette, 1981

DICTIONNAIRES

Sous la direction de Jean-Marie PÉROUSE DE MONTCLOS, *Paris*, Hachette, 1994

HILLAIRET Jacques - *Connaissance du Vieux Paris*, Editions de Minuit, 1954

LAZARE Félix et Louis - *Dictionnaire administratif et historique des rues et monuments de Paris* (1885), Maisonneuve et Larose, 1994

SAKA Pierre et PLOUGASTEL Yann - *La Chanson française et francophone*, Larousse/HER, 1999

SEVRAN Pascal - *Le Music-hall français*, Orban, 1978 ; *Dictionnaire de la chanson française*, Carrère/Michel Lafon, 1986

TULARD Jean, de l'Institut - *Dictionnaire des réalisateurs, Guide des films*, Bouquins, Robert Laffont, 1999, 1995

DISCOGRAPHIE

ARNAUD Michèle - CD E.M.I. 24352 04852, 1999

CHEVALIER Maurice - CD Music Memories 268440 308439, 1991 ; CD Forlane 399240 190556, 1992 ; CD Fleur de Paris E.M.I. 7987302, 1992 ; CD Polygram 837 219-2, 1988

DELYLE Lucienne - CD Frémeaux et associés 448 960 215 121, 1998

DERÉAL Colette - CD Podis 837 987-2

DRANEM - CD Chansophone 307517 011626, 1992

FERNANDEL - CD E.M.I. 795 7382, 1990

FRÉHEL - CD Chansophone 307517 010025, 1990 ; CD Chansophone 307517 011329, 1991 ; CD Chansophone 307517 010520, 1991 ; CD Music Memories 268440 308125, 1990

GEORGIUS - CD Chansophone 307517 01527, 1992 ; CD Music Memories 268440 308132, 1990 ; CD Forlane 399240 190709, 1992

GUILBERT Yvette - CD Music Memories 77778 80562, 1994

LEMARQUE Francis - CD EPM 129679 105827, 1989

GEORGES Milton - CD E.M.I. 77778 09642, 1992 ; CD Music Memories 24383 99252, 1994

MITCHELL Eddy - CD Polydor 31452 30862, 1994

MOULOUDJI - CD Autoportrait 229261 220968, 1998

PIAF Edith - CD ARC 713051 430017

RENARD Colette - CD Vogue/BMG 43211 74802, 1993

SEVRAN Pascal - La Chance aux chansons - CD Coppelia 218030 503072

TRENET Charles - CD ARC 713051 430 048 ; CD E.M.I. 099925 160727, 1987

VENTURA Ray - CD E.M.I. 099974 801329, 1987

YANNE Jean - CD Podis 31451 66582, 1998

*

*   *

PRINCIPAUX CHANTEURS ET CHANSONS CITÉS

ARNAUD Michèle - *Julie* (Vidalin et Datin), 1957 ; *Loulou de la vache noire* (Riffard), 1960 ; *Sous le pont Mirabeau* (Apollinaire et Lasry), 1955

AZNAVOUR Charles - *J'aime Paris au mois de mai* (Aznavour et Roche), Editions Raoul Breton, 1950

BÉART Guy - *Il n'y a plus d'après* (Béart), 1961 ; *L'Obélisque* (Béart)

BRASSENS Georges - *La Complainte des filles de joie* (Brassens), 1962 ; *Les Lilas* (Brassens), 1957 ; *Le Vieux Léon* (Brassens), 1958 ; *Le Vent* (Brassens), 1954

BREL Jacques - *La Bastille* (Brel), Editions Paris Mélodies, 1955 ; *Il peut pleuvoir* (Brel) World-Music Vendôme, 1953 ; *Les prénoms de Paris* (Brel et Jouannest), Editions Alleluia/Gérard Meys,1961 ; *Vesoul* (Brel), Editions Pouchenel, 1968 ; *L'éclusier, Editions Pouchenel* (1968) ; *Titine* (Brel), Editions Pouchenel, 1964

BRUANT Aristide (Editions Salabert) - *A Batignolles ; A la Bastille ; A la Bastoche ; A la Chapelle ; A la Goutte d'or ; A la Madeleine ; A la place Maubert ; A la Roquette ; A Montmartre ; A Montpernasse ; A Pantruche ; A Montrouge ; Au bois de Boulogne ; Belleville-Ménilmontant ; Nini Peau d'chien*

CHEVALIER Maurice - *Ah ! Si vous connaissiez ma poule* (Borel, Cler, Willemetz et Toché), 1938 ; *Ça sent si bon la France* (Louiguy et Larue), 1941 ; *La Marche de Ménilmontant* (Chevalier, Vandair, Borel et Cler), 1942 ; *Moi avec une chanson* (Roux et Garvarentz) ; *La Petite dame de l'Expo* (Sullivan, Willemetz et Pothier), 1938 ; *Prosper* (Koger, Telly et Scotto), Editions Salabert, 1935 ; *Un p'tit air* (Mireille et Willemetz), 1938

DELYLE Lucienne - *Sur les quais du vieux Paris* (Poterat et Erwin), Editions Meridian, 1939

DERÉAL Colette - *A la gare Saint-Lazare* (Delanoë et Renard), Editions S.E.M.I.

DRANEM (Editions Salabert) - *Le Trou de mon quai* (Berniaux), 1928

DUDAN Pierre - *Sous le ciel de Paris* (Dudan), 1949

DUTRONC Jacques - *Il est cinq heures, Paris s'éveille* (J. Lanzmann, Segalen et Dutronc), Editions Alpha, 1968

FERRÉ Léo - *L'île Saint-Louis,* (Claude et Férré) Editions S.E.M.I., 1949 ; *Paris canaille* (Ferré), Editions S.E.M.I., 1953 ; *Saint-Germain-des-Prés* (Ferré), 1949

FERNANDEL - *Félicie aussi* (Oberfeld, Willemetz et Nargand), 1930

FRÉHEL - *Derrière la clique* (Poussigue, Bergen et Le Play), 1938 ; *Où est-il donc ?* (Scotto, Koger et Hugon), 1938 ; *Quand il joue de l'accordéon* (inconnu), 1928 ; *La Rue de la joie* (Lelièvre, Varna, Rouvray et Larieu), 1928 ; *Tire ton soufflet* (Charlys et Chabran), 1934

GEORGEL - *Sous les ponts de Paris* (Rodor et Scotto), Editions J. Wolfsohn/Beuscher, 1913

GEORGIUS - *La Pi-pipe en terre* (Georgius et Ouvrard père), 1930 ; *Ça c'est d'la bagnole* (Poussigue et Georgius) ; *La chanson de l'Exposition* (Clavet et Georgius), 1937 ; *C'est moi Marius* (Georgius, Maubon, Pearly et Chagnon), 1932 ; *Des idées* (Tremolo et Georgius), 1939

GUILBERT Yvette - *Le Fiacre* (Xanrof), 1934

LEMARQUE Francis - *A Paris* (Lemarque), S.E.M.I./ Chant du Monde, Les nouvelles Editions Meridian ; *L'Air de Paris* (Lemarque et Heyral), Universal/M.C.A. ; *Ballade de Paris* (Lemarque et Castella), Universal/M.C.A. ; *Bouchon d'accordéon,* (Lemarque), propriété de l'auteur ; *C'est un accordéon,* (Lemarque), propriété de l'auteur ; *Ecoutez la ballade,* (Lemarque), B.M.G.; Korb), B.M.G. ; *Le Soleil a bu la rivière* (Lemarque), propriété de l'auteur ; *Monsieur de La Fontaine* (Lemarque et M.Korb), propriété de l'auteur ; *Rue de Lappe* (Lemarque et Revil), S.E.M.I. ; *Vacances à Paris* (Lemarque et S. Korb), B.M.G.

MILTON (Editions Salabert) - *Si j'étais chef de gare* (Yvain et Barde), 1929 ; *Totor, t'as tort* (Mercier et Boyer), 1932

MITCHELL Eddy - *La Dernière séance* (Moine et Papadiamandis), 1977 ; *Nashville ou Belleville* (Moine et Papadiamandis), 1984

MONTAND Yves - *Grands Boulevards* (Plante et Glanzberg), M.C.A./Caravelle, 1951

MOULOUDJI - *La Complainte de la Butte* (Renoir et Van Parys), 1953

PIAF Édith - *Les Amants d'un jour ; L'accordéoniste* (Emer), S.E.M.I., 1942

PRÉJEAN Albert - *Dédé de Montmartre* (Dumas et Montho), 1939

RENARD Colette - *Avec les anges* (Breffort et Monnot), 1956 ; *Ça c'est d'la musique* (Glanzberg et Rivgauche), Editions Salabert, 1958 ; *Sa casquette* (Magenta), 1957

RENAUD - *Amoureux de Paname* (Séchan), 1983 ; *Le blues de la porte d'Orléans* (Séchan)

SEVRAN Pascal - *La voix d'Arletty* (Sevran, Ferchit et Rémy), Editions Coppelia, 1992

TRENET Charles - *Mam'zelle Clio* (Trenet), Editions Raoul Breton, 1938 ; *Retour à Paris* (Trenet), Editions Raoul Breton, 1947 ; *Ménilmontant* (Trenet), Editions Raoul Breton, 1938 ; *Ya d'l'a joie* (Trenet et Emer), Editions Raoul Breton, 1937 ; *Les Relations mondaines* (Trenet), Editions Raoul Breton, 1950 ; *Le Jardin extraordinaire* (Trenet), E.M.I., 1957

ULMER Georges - *Pigalle* (Ulmer et Koger), Pathé/E.M.I., 1946

VENTURA Ray - *Ça vaut mieux que d'attraper la scarlatine* (Misraki et Hornez), 1936 ; *Sur deux notes* (Misraki), 1936

YANNE Jean - *Rouvrez les maisons* (Yanne et Baïtzouroff), 1965

DIVERS

A Paris dans chaque faubourg (Clair et Jaubert), 1933, Editions Max Eschig

A Saint-Sulpice (Lemercier), 1885

Le Boul'Mich après minuit (Montoya), 1896

Dans l'faubourg Saint-Martin (Carol, Koger et Scotrio), 1929

Derrière l'omnibus (Jout et Raynal), 1860

Mademoiselle de Paris (Contet et Durand), 1948

Métro (Lamoureux et Bourtayre), 1949

Le Métropolitain (Oudot), 1891

Mon Paris (J. Boyer, L. Boyer et Scotto), Editions Salabert, 1925

Moulin Rouge (Engwick, Larue et Auric), 1953

Le Moulin Rouge (Borkay et Legay), 1896

Paris ma rose (Gougaud), 1964

Les quais de la Seine (Dréjac et Lodge), 1947

La Seine (Monod et Lafarge), Editions Warner/Chappel, 1948

Sous le ciel de Paris (Dréjac et Giraud), 1951

Sous les ponts de Paris (Rodor et Scotto), Editions J. Wolfshon/Beuscher,1913

Sur la place de l'Opéra (Rodor, Gey et Yeggon), 1930

Sur les boul'ds de Paname (Rodor et Scotto), 1918

Les extraits de : J'aime Paris au mois de mai (Charles Aznavour - Charles Aznavour - Pierre Roche), p. 22 et 24
      Les relations mondaines (Charles Trenet), p.26
      Mamz'elle Clio (Charles Trenet), p.44
      Y'a d'la Joie (Charles Trenet - Charles Trenet - Michel Emer), p.53, 88 et 98
      Retour à Paris (Charles Trenet), p. 66
      Ménilmontant (Charles Trenet), p.48 et 104
sont publiés avec l'aimable autorisation des EDITIONS RAOUL BRETON

Les extraits de Francis Lemarque
      C'est un accordéon
      Le Soleil a bu la rivière
      Monsieur de La Fontaine
      Bouchon d'accordéon
sont publiés avec l'aimable autorisation de FRANCIS LEMARQUE

Les extraits de Jacques Brel
      Titine (Jacques Brel), © Editions Pouchenel, 1964
      Vesoul (Jacques Brel), © Editions Pouchenel, 1968
      La Bastille (Jacques Brel), © Editions Paris Mélodies, 1955
      Il peut pleuvoir (Jacques Brel), © World-Music Vendôme, 1953
      L'éclusier (Jacques Brel), © Editions Pouchenel, 1968
sont publiés avec l'aimable autorisation de la FONDATION JACQUES BREL
Les prénoms de Paris (J. Brel - G. Jouannest), © Editions Gérard Meys, 1961

Nous remercions FRANCIS LEMARQUE, GÉRARD DAVOUST, JEAN-MARC NATEL *et* CHRISTIAN PIROT *pour leurs aimables conseils.*

L'auteur et l'éditeur de ce livre ont tenu à donner l'image la plus large possible de la culture parisienne par la chanson et la poésie en citant le plus grand nombre possible d'artistes. Que ceux qui n'ont pu, faute de place, être cités les en excusent. Que ce livre soit également l'occasion, pour tous les amoureux de Paris, parisiens, provinciaux ou étrangers, de découvrir encore mieux cette richesse unique au monde : les poètes célèbres ou méconnus ayant chanté la Ville lumière. Que ces créateurs soient tous, ici, remerciés.

*

*   *